2030 바이오 지도

BOOK
JOURNALISM

2030 바이오 지노

발행일 ; 제1판 제1쇄 2024년 5월 27일
지은이 ; 이해진·장원석 발행인·편집인 ; 이연대
CCO·에디터 ; 신아람
펴낸곳 ; ㈜스리체어스 _ 서울시 중구 퇴계로2길 9-3 B1
전화 ; 02 396 6266 팩스 ; 070 8627 6266
이메일 ; hello@bookjournalism.com
홈페이지 ; www.bookjournalism.com
출판등록 ; 2014년 6월 25일 제300 2014 81호
ISBN ; 979 11 93453 24 7 03320

북저널리즘은 환경 피해를 줄이기 위해
폐지를 배합해 만든 재생 용지 그린라이트를 사용합니다.

BOOK
JOURNALISM

2030 바이오 지도

이해진 · 장원석

바이오의 성장은 의심할 여지가 없다. 하지만 바이오 기술의 다양성과 넓은 범위는 투자자에게 큰 장벽이다. 파편화한 지식만으로는 바이오의 숲을 볼 수 없다. 숲을 조망할 능력을 갖추려면 구성 요소에 대해 먼저 충분히 이해해야 한다. 신기술 트렌드, 빅파마의 움직임, 기술력을 가진 국내 기업의 교집합이 주목할 지점이다. 바이오의 시간은 반드시 온다. 투자의 눈도 그곳을 향해야 한다.

차례

프롤로그

빅파마의 시선 끝에
기회가 있다

제약·바이오의 시대다. 업계뿐 아니라 일반인도 관심을 가져야 할 이슈가 쏟아지고 있다. 노보 노디스크Novo Nordisk의 비만 치료제 위고비Wegovy 열풍이 대표적이다. 위고비는 본래 당뇨병 치료제로 출시됐다. 그러나 확실한 체중 감소 효과가 확인되면서 너도나도 찾는 약이 됐다. 추격자 일라이 릴리Eli Lilly의 마운자로Mounjaro도 머지않아 등판한다. 비만 관리 시장 규모는 100조 원을 넘을 것으로 보인다. 이 시장이 이제 본격적으로 열리기 시작했다.

인류를 괴롭히는 최악의 질병 중 하나인 알츠하이머 분야에서도 의미 있는 진전이 있었다. 2023년 7월 알츠하이머병 치료제 레켐비Leqembi가 미국 식품의약국(FDA)의 승인을 받았는데 임상에서 병의 진행을 늦춘다는 걸 확인했다. 물론 아직은 경증 단계에서만 쓸 수 있고, 가격은 비싸다. 부작용 또한 걱정스럽다. 하지만 희망의 문을 연 것만으로도 충분히 의미가 있다.

2023년 6월 공개된 '캔서문샷Cancer Moonshot' 참여 기업 리스트도 내내 화젯거리였다. 아폴로 11호의 달 착륙(Moon Shot)에서 이름을 따온 캔서문샷은 바이든 정부가 추진하는 미국의 암 정복 프로젝트다. 향후 25년간 암 사망률을 지금의 50퍼센트까지 줄이는 것을 목표로 연간 18억 달러(2조 4000억 원)를 투입하겠다는 계획이다. '루닛'을 비롯한 일부 국내 바이오테크가 여기에 이름을 올렸다.

신종 코로나바이러스 감염증(코로나19) 메신저 리보핵산(mRNA) 백신 개발에 결정적인 역할을 한 커털린 커리코 바이오엔테크 수석 부사장과 드루 와이스먼 펜실베이니아대학교 의과 대학 교수가 2023년 노벨 생리의학상 수상자가 된 것도 의미 있는 일이었다. 수상 자체는 유례없이 빠른 백신 개발에 대한 보상 성격이 강하다. 하지만 mRNA는 암과의 전쟁에서도 가장 앞서 있는 기술이다. 얼마 전 바이오엔테크는 mRNA 기반 암 백신 CARVac의 첫 임상 결과를 공개했는데, 종양이 성장을 멈추거나 줄어드는 걸 확인했다. 아직 초기지만 어느 때보다 기대는 크다.

바이오는 꿈이다. 질병과의 전쟁은 인류의 영원한 숙제였기 때문이다. 그 노력 덕에 많은 질병을 정복하는 데 성공했지만 갈 길은 멀다. 코로나19 사태에서 절감했듯 새로운 바이러스는 호시탐탐 인간을 공격할 준비를 하고 있다. 역사적으론 고통스러운 사투이겠으나 산업 측면에서 보면 일감이 차고 넘치는 시장이다. 그래서 바이오는 매력적인 투자처다.

핵심은 두 가지다. 첫째로는 인구 고령화가 가속하면서 만성 질환이 증가하는 한편 '웰빙Well-being'과 '웰에이징Well-aging' 욕구도 함께 강해진다는 지점을 짚을 수 있겠다. 이런 상황에서 의약품 수요는 앞으로 더욱 탄탄해질 수밖에 없다. 둘

째로는 차세대 염기 서열 분석(NGS), 유전자 가위(가이드 RNA+Cas9)와 같은 혁신적인 기반 기술이 발명돼 신약의 무게 중심이 화학 의약품에서 바이오 의약품으로 이동했다는 점을 들 수 있다. 실제로 이전과는 전혀 다른 방식으로 암이나 희귀 질환을 치료하는 여러 기술이 개발 중이다. 개별 환자의 질병 환경에 맞는 정밀 치료의 시대로 전환하는 과정이다.

다만, 바이오 기술의 다양성과 넓은 범위는 투자자에게 큰 장벽이다. 파편화한 지식만으로는 바이오의 숲을 볼 수 없다. 숲을 조망할 능력을 갖추려면 그 구성 요소에 대해 먼저 충분히 이해해야 한다. 책에서는 현 시점에서 가장 중요하다고 볼 수 있는 바이오 키워드를 다룬다. 유전자 치료제, 유전자 편집 치료제, pre-mRNA 치료제, mRNA 백신, RNAi(RNA 간섭) 등으로 구분할 수 있는 핵산 치료제는 빼놓을 수 없는 미래 키워드다. T세포·NK세포 치료제와 함께 가장 근원적인 치료법이라 할 수 있는 줄기세포 기술의 발전도 마찬가지다. 상업적 가치가 큰 비만 치료제와 메디컬 에스테틱 분야, 인체 내 미생물로 질병을 치료하는 마이크로바이옴도 챙겨 볼 만한 주제다.

조금 더 좁혀 보자면 현 시점에서 가장 주목해야 할 키워드는 '항체-약물 접합체(ADC·Antibody-Drug Conjugate)'다. 항체 치료제는 세균이나 바이러스 같은 특정 항원에만 결합해 항원의 활동을 차단하는 항체의 특성을 이용한 치료제다. 항원을 잘 찾아가서 효과적으로 활동을 차단하는 게 관건이다. ADC는 항체와 약물(Drug)이 결합한 구조로 항체가 공격하고자 하는 목표까지 안내하면 항체와 약물이 분리되고, 약물이 목표를 공격하는 원리다. 예컨대 암 치료에 적용하면 ADC는 혈관을 타고 수많은 정상 세포 사이에 숨어 있는 암세포를 정확히 찾아내 탑재된 약물로 사멸한다. 일명 '유도 미사일 항암제'로 불리는 이유다.

자신만의 바이오 투자 전략을 가지려면 결론적으로 ① 신기술 개발 트렌드 ②빅파마의 움직임 ③기술력을 갖춘 국내 기업 이들의 교집합을 찾아내는 게 중요하다. 특히 빅파마의 시선이 어딜 향해 있는지 파악하는 건 핵심 중의 핵심이다. 최근 다수의 빅파마는 미래의 먹거리가 될 첨단 기술 투자를 늘리고 있다. 과거 경험을 통해 익힌 생존 전략이다.

아무리 큰 빅파마라도 기술 흐름을 놓쳐 블록버스터 개발 기회를 날린다면 순식간에 업계에서 도태될 수 있다. 수년 전 비만 치료제의 가치를 간과했던 많은 기업이 지금은 땅을 치고 후회하는 중이다. 빅파마가 점찍은 미래 먹거리가 무엇인지 파악하고, 기술 도입 계약이나 인수전도 꼼꼼히 살펴야 한다. 이와 관련된 기업을 골라 포트폴리오를 구성한다면 투자 리스크를 크게 줄일 수 있을 것이다.

장기적으로 바이오의 성장은 의심할 여지가 없다. 지난 40년간 미국 증시에서 섹터별 수익률이 가장 높았던 건 헬스케어였다. 정보 기술(IT)보다도 앞선다. 사람은 늙고, 예전보다 더 오래 산다. 최근 2년간의 바이오 주가 부진은 일종의 도움닫기였을지도 모른다. 바이오의 시간은 반드시 온다. 투자의 눈도 그곳을 향해야 한다.

1 바이오가 바꾸는 미래 예상도

비만 ; 인류가 해방된다

위고비가 모든 것을 바꿨다

"What's your secret? You look so awesome, fit, ripped & healthy. Lifting weights? Eating healthy?"(당신 정말 멋져요. 탄탄하고, 균형 잡힌 몸이네요. 비결이 무엇인가요? 운동? 건강한 식습관?)

"Fasting. And Wegovy."(단식. 그리고 위고비.)

2022년 10월 일론 머스크 테슬라 최고 경영자(CEO)는 소셜 네트워크 서비스(SNS)에서 몸매 관리 비결을 묻는 한 지인의 질문에 이렇게 답했다. 이때까지만 해도 사람들은 대체 위고비가 뭔지 궁금해했다. 대충 '살 빼는 약'이구나 했는데, 그때까지만 해도 미처 몰랐다. 1년도 안 돼 전 세계적으로 위고비 열풍이 불 줄은.

9년 뒤인 2033년이면 전 세계 10억 명, 그중 아동 및 청소년 2억 5000만 명이 이 질병으로 고통받게 된다. 바로 비만이다. 1975년 이후 미국의 비만 인구는 대략 세 배가량 증가했다. 현재 미국 성인의 40퍼센트 이상이 비만으로 고통받고 있는데 2030년엔 이 수치가 50퍼센트까지 증가한다. 인구의 절반이 비만이란 얘기다. 비만을 손쉽게 치료할 방법이 있다면 그야말로 엄청난 시장이 열리는 셈이다.

비만이란 체내에 지방이 비정상적으로 많이 축적된 것

을 말한다. 살찐 게 무슨 병이냐 할 수도 있지만, 비만은 명백한 질병이다. 미국 내에선 흑인 아동 비만이 폭발적으로 증가하고 있는데 또 다른 사회 문제로 부각될 정도다. 하버드대학교와 조지워싱턴대학교가 공동으로 연구한 바에 따르면 음식을 조달하기 어려운 저소득층일수록 체중이 더 나간다. 수치상으로도 흑인과 저소득 성인의 고도 비만율이 다른 인종이나 계층에 비해 높다. 비만은 미국만의 문제가 아니다. 세계비만연맹에 따르면 향후 비만 인구가 가장 많이 증가할 것으로 예상되는 지역은 아시아와 아프리카다.

보통 비만은 키와 몸무게로 계산한 체질량지수(BMI)로 구분한다. 체중(킬로그램)을 키(미터)의 제곱으로 나눈 값이 BMI다. 세계보건기구(WHO)는 BMI가 25 이상이면 과체중, 30 이상이면 비만, 40을 넘어서면 초고도비만으로 본다. 물론 단순히 이 수치로만 계산하면 근육량이 많아 체중도 많이 나가는 사람을 비만으로, 체지방이 많지만 마른 사람을 정상으로 분류하는 문제가 발생한다. 큰 기준은 일단 BMI다.

시계를 돌려 보자. 사실 '사람이 너무 마르면 없어 보인다', '나이를 먹으면 아랫배가 좀 나와야 듬직하고 호감이 간다' 같은 말이 통용됐던 게 불과 얼마 전이다. 지금은 웃을 일이지만 먹고사는 게 중요했던 시절의 일이다. 퇴근 후 술로 스트레스를 풀며 동료애를 다지는 독특한 회식 문화도 비만의 주범 중 하나였다.

하지만 이제 비만은 부와 호감의 대상이 아니다. 오히려 반대의 인식이 생겼다. 유전적 요인이나 호르몬 이상 등 명백한 이유가 있는 게 아니라면 비만인 사람은 생활 환경에 문제가 있거나 자기 관리를 못 한다는 따가운 시선을 받는다. 외모로 사람을 평가하는 건 지양해야 하지만 면접 등에서 불리한 평가를 받는 경우도 적지 않다. 실제로 비만은 정신적 열등감을 갖게 하고, 사회 활동을 꺼리게 하는 부정적 효과도 낳는다.

그뿐만 아니라 비만은 심혈관 질환 등 심각한 건강 문제를 야기할 수도 있다. 그런 점에서 비만이 건강에 미치는 부정적인 영향이 밝혀지고, 치료가 필요한 질병으로 인식하게 된 건 다행스러운 일이다. 비만은 환경적, 생물학적 요인의 조합에 의해 발생하는 복합적 질병이다. 사회적 지위나 운동 시설 접근성 등은 환경적 요인이다. 여기에 잠 부족이나 스트레스, 유전 등 생물학적 요인이 함께 영향을 미친다.

비만 인구가 늘며 비만 치료제에 대한 관심과 수요도 많이 늘었다. 하지만 여러 이유로 제약업계는 치료제 개발에 어려움을 겪어 왔다. 대표적인 경구용(먹는 약) 항抗비만 약물인 펜플루라민Fenfluramine은 펜-펜fen-phen이라 불리며 한때 주목을 받았다. 하지만 심장 질환을 유발할 수 있다는 심각한 경고를 받고 1997년 시장에서 퇴출당했다. 또 다른 후보 시부트라민Sibutramine도 식욕을 억제하는 비만 치료제로 판매됐지만 심근경색과 뇌졸중 같은 심혈관계 부작용 우려에 2010년 이후 사용이 금지됐다.

그러다 2022년 이후 부작용 우려를 크게 줄인 신약이 등장하면서 관련 시장이 뜨겁게 달아오르고 있다. 최근 JP모건은 2032년 전 세계 비만 치료제 시장이 710억 달러(95조 원) 규모로 성장할 거라 전망했다. 바이오 분야 시장 조사 업체 아이큐비아IQVIA는 보험 적용이 빨라질 경우 2027년 시장 규모가 1000억 달러(134조 원)에 도달할 것이라 예측하기도 한다. 어떤 시나리오가 맞든 10년 뒤엔 현재 수준(2022년 100억 달러)과 전혀 다른 그림이 펼쳐진다는 얘기다.

JP모건이 내놓은 또 하나의 예측은 급격히 커지는 비만 치료제 시장의 약 절반을 노보 노디스크가 차지할 것이란 점이다. 서두에 밝힌 위고비의 제조사다. 노보 노디스크는 당뇨병 치료제로 쓰는 인슐린을 생산하는 덴마크의 두 회사가 합병하며 탄생했다. 지금도 당뇨병 치료제 점유율 세계 1위(약 33퍼센트)다. 이것만으로도 대단한 업적이지만 이 회사를 보는 시선이 완전히 달라진 건 위고비 때문이다. 인슐린 분비를 촉진하는 이 주사를 맞았더니 살이 빠지는 효과가 나타났다.

위고비의 마법을 이해하려면 GLP-1(glucagon-like

peptide1)의 기전을 알아야 한다. GLP-1은 체내에서 인슐린 분비를 유도해 혈당 수치를 조절하는 호르몬이다. 더불어 위장관 운동 조절과 식욕 억제 등에 관여한다. 위고비의 주요 성분인 세마글루타이드Semaglutide는 이 GLP-1의 유사체다. 매주 한 번 주사 형태로 주입하면 GLP-1처럼 작용해 체중 감소를 유도하는 방식이다.

노보 노디스크는 세마글루타이드로 만든 최초의 비만 치료제 삭센다를 2015년 출시했다. 효과는 있었지만, 하루에 한 번 주사를 맞아야 한다는 게 한계였다. 이를 보완한 제품이 2021년 6월 미국 식품의약국이 승인한 위고비다. 주 1회만 맞으면 되는데 효과는 삭센다보다 훨씬 뛰어나다. 임상 3상에서 위고비로 68주간 비만 환자를 치료했는데 체중이 평균 16.9퍼센트나 감소했다. 부작용도 거의 없었다. 시장은 열광적으로 반응했고, 급증하는 수요를 공급이 쫓아가지 못하는 상황이 1년 이상 이어지고 있다.

노보 노디스크는 위고비를 비롯한 GLP-1 계열 치료제의 급성장에 힘입어 2023년 상반기에만 1080억 덴마크크로네(21조 원)의 매출을 기록했다. 전년 동기 대비 30퍼센트 증가했다. 주가가 따라가는 건 당연했다. 노보 노디스크의 주가는 최근 5년 동안 약 347퍼센트 상승했다. 2021년부터 시작된 주요국의 기준 금리 인상 행진으로 대부분의 바이오테크

주가가 주춤했던 걸 고려하면 더욱 눈에 띄는 성과다. 상승세는 진행형이다. 노보 노디스크의 시가 총액은 750조 원을 넘어섰는데 이는 글로벌 제약사 중 2위에 해당한다.

노보 노디스크가 비만 치료제 시장의 선구자라면 추격자는 일라이 릴리다. 현재 글로벌 제약사 시가 총액 1위(950조 원)다. 일라이 릴리의 주가 또한 최근 5년 새 500퍼센트 넘게 뛰었다. 당뇨병 치료제이자 비만 치료제 후보 물질인 마운자로에 대한 기대감 때문이다. 신약 개발이라고 하면 암 치료제가 가장 먼저 떠오르지만, 지금은 당뇨병 강자인 두 회사가 굴지의 글로벌 빅파마를 제치고 글로벌 제약사 시가 총액 1·2위를 차지하고 있다.

마운자로는 FDA의 신약 승인을 기다리고 있다. 마운자로도 원래는 당뇨병 치료제다. 2022년 5월 FDA 승인도 받았다. 하지만 비만 치료 효과가 뛰어나다는 걸 확인한 일라이 릴리가 비만 치료제 허가를 위한 추가 임상을 진행했고, 최대 22.5퍼센트의 체중 감소가 확인됐다. 《월스트리트저널》은 이를 두고 비만 치료제 시장의 킹콩이 될 수 있는 결과라고 평가했다. 현재로서는 승인 가능성이 높은데 그러면 2024년부터는 위고비와 마운자로가 비만 치료제 시장을 양분할 전망이다.

마운자로의 주성분은 티르제파타이드tirzeparide다. 설명한 대로 위고비의 주성분인 세마글루타이드는 GLP-1 작용제, 티르제파타이드는 GLP-1, GIP 이중 작용제란 점이 다르다. GIP 역시 GLP-1 같은 인크레틴(장에서 분비되는 호르몬) 계열이다. 둘 중 무엇이 더 나은지 현재로선 판단이 쉽지 않지만 일라이 릴리는 임상 3상에서 마운자로가 위고비 대비 더 나은 체중 감량 효과를 보였다고 밝혔다.

비만 2라운드, 국내 기업들의 추격전

2023년 7월 FDA 데이터베이스의 의약품 부족 현황에 따르면 주요 당뇨병 치료제와 비만 치료제는 여전히 공급 부족 상태다. FDA는 판매 중인 위고비의 다섯 개 용량 중 세 개 이상이 적어도 2024년 상반기까지 공급이 제한될 것이라고 예상했다. 이미 당뇨병 치료제로 승인된 일라이 릴리의 마운자로 역시 의사의 재량에 따라 비만 치료제로 처방하고 있는데 여섯 개 용량 중 네 개는 간헐적인 공급 부족이 나타나고 있다.

노보 노디스크는 폭발하는 위고비의 수요에 대응하기 위해 최근 서모 피셔Thermo Fisher를 생산업체로 추가 선정했다. 동시에 다른 연구도 진행 중이다. 노보 노디스크는 위고비가 심장마비 · 뇌졸중 등 주요 심혈관 질환 발생 위험을 20퍼센트 감소시킨다는 자체 분석 결과를 발표했다. 위고비를 투약할 경우 음주나 흡연 욕구가 감소한다는 분석도 있는데 이는

GLP-1 계열 약물의 적응증 확장 가능성을 의미하는 대목이다. 상대적으로 심혈관이나 간 질환 적응증 치료제를 개발 중인 제약사는 긴장할 수밖에 없는 상황이다.

2024년부터 노보 노디스크와 일라이 릴리의 비만 치료제 2파전이 확실시되는 가운데 두 회사의 파이프라인(신약 후보 물질) 추가 확보 경쟁도 더욱 치열하게 전개 중이다. 더 확실한 시장 장악을 위해서다. 최근 노보 노디스크는 캐나다 바이오테크 인버사고Inversago Pharma를 인수했다. 식욕 조절과 심장대사 경로에서 중요한 역할을 하는 카비노이드(CB1) 수용체를 개발하는 곳이다. 노보 노디스크는 CB1을 비만 관련 합병증 치료제로 개발할 계획이다. 이어 심장 대사 질환 연구에 강점이 있는 덴마크의 엠바크Embark Biotech를 추가로 인수했다.

일라이 릴리는 마운자로의 수요를 맞추기 위해 생산시설의 추가 확장 계획을 발표했다. 아직 규제 당국의 승인이 떨어지기 전이지만 급증한 수요를 반영한 결정이다. 또한 비만 치료 분야를 강화하기 위해 최근 미국 버사니스 바이오Versanis Bio를 인수했다. 버사니스는 비마그루맙bimagrumab 관련 기술을 보유한 곳이다. 위고비나 마운자로와 같은 GLP-1 계열 약물에서 나타나는 흔한 부작용 중 하나가 근 손실인데, 비나그루맙은 이를 보완할 후보로 꼽히는 물질이다. 일라이 릴리는 비마그루밥이 체지방량은 줄이면서 근 손실은 막는 보다 개선

된 치료 요법이 될 것으로 기대하고 있다. 비마그루맙은 경쟁 상대인 위고비와 병용 투여 방식으로 임상을 진행하고 있는데 비만 치료제를 둘러싼 노보 노디스크와 일라이 릴리의 관계가 얼마나 복잡하게 얽혀 있는지 잘 보여 준다.

탁월한 치료 효능을 나타내는 비만 치료제의 등장으로 미국 다이어트 산업은 송두리째 흔들리고 있다. 예컨대 헬스클럽 같은 곳은 경영 위기에 처했다. 싫든 좋든 다이어트 프로그램에서 비만 치료제를 함께 사용하는 방향으로 비즈니스 모델을 확장해야 한다. 근 손실을 최소화하는 프로그램 개발도 같은 맥락이다. 그런데 근 손실 부작용마저 개선한 비만 치료제까지 개발되면, 미국 다이어트 관련 업체는 사실상 폐업 위기에 내몰릴 수도 있다.

위고비 열풍에 국내 비만 치료제 개발사의 주가도 큰 폭으로 뛰었다. 국내 업체 중 가장 앞선 곳은 한미약품이다. 2023년 7월 식품의약품안전처(식약처)에 역시 GLP-1 계열인 에페글레나타이드의 3상 임상 시험 계획(IND)을 제출했고, 10월 승인을 받았다.

에페글레나타이드는 2015년 글로벌 빅파마 사노피와 최대 5조 원에 달하는 기술 수출 계약을 맺었던 후보 물질이다. 이후 사노피는 전 세계에서 다섯 건의 글로벌 임상을 진행했다. 그런데 단계별로 계약을 취소하더니 2020년 6월엔 최종적으로 후보 물질을 반납했다. 한미약품 입장에선 큰 타격이었다.

당시 꽤 논란이 있었다. 3상 진행 중에 후보 물질을 반납한 것인 데다 에페글레나타이드의 유효성과 안전성엔 큰 문제가 없었기 때문이다. 쉽게 말해 신약 개발이 실패할 것으로 보고 돌려준 게 아니란 뜻이다. 실제로 사노피는 반납 1년 뒤인 2021년 6월 미국당뇨병학회(ADA)에서 에페글레나타이드의 잠재력을 설명하기도 했다.

당시엔 사노피가 연구 개발(R&D) 방향을 항암제로 명확하게 틀면서 당뇨 쪽을 정리했다는 관측에 힘이 실렸다. 어찌 됐건 한미약품 입장에선 유학 보낸 자녀가 공부를 제대로 마치지 못하고 돌아온 것과 같은 악재였다. 그러다 절치부심한 한미약품이 에페글레나타이드를 다시 비만 치료제로 개발하겠다고 선언한 것이다.

일단 사노피의 임상에서 혈당을 낮추고, 체중을 줄이는 효과를 확인한 만큼 가능성이 높다는 평가다. 한미약품은 일단 한국인에게 가장 적합한 치료제로 개발하겠다는 구상이다. 앞선 GLP-1 계열 치료제는 WHO의 비만 기준인 BMI 30을 기준으로 만들어졌다. 사실 고도 비만 환자는 한국 등 아시아보다는 미국 등 서구에 훨씬 많다. 사노피는 한국질병관리청의 비만 기준인 BMI 25를 적용했다. 우리 상황에 맞는 약을 개발하기로 한 셈이다.

한국인의 췌장 크기가 서양인보다 작고, 인슐린 분비 능력이 떨어진다는 점도 고려했다. 이에 맞춰 약물의 강도나 부작용 위험 등을 조절하려는 시도다. 기존 GLP-1 계열 치료제를 보면 임상 3상에 대략 1년 반 정도가 걸렸다. 이르면 2026년, 한국형 비만 치료제가 등장할 수 있다는 의미다. 국내에서 만드니까 한 달에 최소 100만 원 이상 드는 위고비나 마운자로보다 가격 또한 훨씬 저렴할 것으로 예상할 수 있다.

동아에스티는 비만 치료제 신약 후보 물질의 글로벌 1상 IND를 제출했다. 대원제약은 붙이는 형태, 일동제약은 먹는 형태의 치료제를 개발 중이다. 모두 전 임상 단계에서는 효능을 확인한 터라 역시 기대를 모으고 있다.

이처럼 비만 치료제 시장은 100조 원이 넘는 거대 시장을 향해 가고 있다. 노보 노디스크와 일라이 릴리는 위고비와 마운자로라는 걸출한 제품의 경쟁력 강화와 함께 치료 범위 확장에 전력을 집중한다. 추격자를 압도적 효능과 안전성으로 확실하게 뿌리치겠다는 전략이다. 앞으로는 GLP-1 계열 비만 치료제의 부작용을 완화하는 병용 요법 약물이나 비만 합병증을 치료하는 기술, 치료 과정에서 환자를 조금 더 편하게 만드는 기술 등에 초점이 맞춰질 전망이다. 이런 흐름을 잘 활용하면 국내 바이오테크에도 기회가 열려 있다.

암 ; 불치병이 아니다

항체 치료제, ADC의 가능성

대부분 국가에서 암은 사망 원인 1위에 올라있다. 환자 수가 많은데 치료 난이도는 높으니 당연한 결과다. 앞으로도 암 환자는 계속 증가한다. 세계보건기구에 따르면 2055년 전 세계 신규 암 발병은 2022년보다 77퍼센트 늘어난 3500만 건에 이른다. 검진 자체가 증가하는 것도 하나의 이유겠지만 흡연이나 음주, 대기 오염 같은 위험 요인에 노출되는 사람이 갈수록 늘어나는 게 핵심 요인이다. 암을 치료하려는 처절한 도전이 계속되고 있지만 여전히 확실한 길은 찾지 못했다. 하지만 분명 앞으로 나아가고 있다. 암 정복의 시간이 가까워지고 있다는 것 역시 분명한 사실이다.

독감 바이러스를 배양한 뒤 특정 약물을 주입하면 바이러스는 활동을 멈춘다. 이렇게 사멸한 바이러스는 인체에 주입해도 독감에 걸리지 않는다. 대신 좋은 기능을 한다. 외부에서 들어온 적에 대응해 항체(Antibody)가 만들어지기 때문이다. 이렇게 한번 생성된 항체는 이후 실제 바이러스가 침투했을 때 대응하는 역할을 한다. 독감 예방 주사의 원리다.

코로나19를 경험하면서 부쩍 항체라는 단어를 자주 접하게 됐다. 일상에서 "몸에 항체가 있다" 혹은 "항체가 만들어졌다"는 말을 쉽게 쓴다. 항체는 세균이나 바이러스 같은 항원(Antigen)에 대항하기 위해 면역 세포에서 만든 물질이다. 항체는 항원에 결합해 항원의 활동을 차단한다.

화학 의약품보다 항체 의약품을 선호하는 이유는 치료 효과가 좋으면서도 부작용이 적기 때문이다. 이는 특정 항원과만 결합하는 항체의 특성 때문이다. A라는 항원에는 반드시 A라는 항체만이 결합하는 식이다. 이런 항체의 특성을 이용한 게 항체 치료제다. 의약품 시장의 주력은 여전히 화학 물질을 조합한 합성 의약품이지만, 생물에서 유래한 물질을 이용해 만드는 바이오 의약품 시장도 빠르게 성장하고 있다. 항체 치료제가 그 대표 주사인데 주 목표는 암 정복이다.

항체 치료제는 어떻게 만들까. 바이러스 같은 외부 물질이 침투하면 항체가 생성된다. 항체 치료제는 이 중 가장 효과적으로 항원에 대항하는 항체를 골라서 만든다. 초기에는 동물 면역계를 이용한 단클론항체(Monoclonal antibody) 제작 기술이 널리 사용됐다. 현재 승인된 항체 치료제 대부분이 단클론항체인 만큼 우선 그 의미를 꼭 이해하고 넘어갈 필요가 있다.

단클론항체는 한 종류의 모두 똑같은 항체란 의미다. 다른 항체가 섞여 있지 않은 똑같은 항체를 어떻게 만들 수 있을까. 항체 치료제를 만들기 위한 첫 과정으로 항원을 동물에 주입하면 동물의 면역 세포인 B세포는 항원을 감지하고,

항체를 생산한다. 그런데 수많은 B세포는 각자 항원의 다른 에피토프(항체가 항원을 인지하는 항원의 일부)와 결합하는 항체를 만들게 된다.

하나의 항원에는 항체가 인지할 수 있는 부분이 수없이 많다. 모든 B세포는 저마다 항원의 다른 부분을 인식하는 다양한 항체를 생산한다. 외부의 공격을 철저히 막아 내기 위해 우리 몸이 오랜 시간 축적한 방식이다.

예컨대 항원을 인지한 B세포를 골수암세포와 융합하면 두 가지 세포의 속성을 갖게 된다. 이후 암세포처럼 계속 증식하면서 항체를 생산하는 잡종 세포(골수암 B세포)가 된다. 이 잡종 세포를 항체별로 각각 분리해 배양하면 항체A·항체B·항체C와 같이 다양한 단클론항체를 생산할 수 있다. 즉, 항원의 같은 에피토프와 결합하는 동일한 단클론항체가 만들어진 셈이다.

그런데 동물의 B세포에서 생산된 단클론항체 치료제는 인간의 면역 체계에선 항원으로 인식될 가능성이 있다. 동물의 유전 정보가 포함되면 우리 면역계를 자극하고, 이에 대응하는 항체를 만들어 낸다는 뜻이다. 그러면 결국 치료제로 사용할 수 없게 된다. 이런 문제점을 해결하기 위해 인간화 항체 혹은 완전 인간 항체 개발을 위한 연구가 활발히 진행 중이다.

효과적인 인간 항체를 개발하기 위해 항원과 항체의 여

러 결합 정보를 한곳에 모아 놓은 것이 항체 라이브러리다. 다양한 기전의 항체로 이뤄진 항체 은행과 같다. 이 라이브러리를 활용해 항원의 특정 부위를 공격하는 최적의 항체를 찾아내는 것이다. 만일 어떤 암 항원의 유전 정보가 밝혀지게 되면 항체 라이브러리를 통해 비교적 빨리 맞춤형 항체를 개발할 수 있다. 라이브러리의 다양성이 신약을 개발하는 제약사의 핵심 경쟁력인 셈이다.

항원은 단백질이다. 수많은 아미노산이 선형으로 연결돼 매우 복잡한 3차원 구조를 형성한다. 최적의 항체를 선별하는 작업이 생각만큼 쉽지 않다는 의미다. 최근에는 단백질의 구조를 밝히는 구조생물학 연구에 인공지능(AI)을 활용해 큰 성과를 보이고 있다.

항원을 정확히 찾아가는 하이브리드 항체 기술인 항체-약물 접합체(Antibody-Drug Conjugate · ADC)도 최근 신약 개발 트렌드에서 빼놓을 수 없는 키워드다. 아스트라제네카 · 길리어드 같은 글로벌 빅파마(대형 제약사)가 앞다퉈 뛰어들고 있다.

2023년 유럽종양학회(ESMO)에선 키트루다Keytruda와 파드세브(Padcev · 아스텔라스와 씨젠이 개발한 ADC 치료제) 병용 요법으로 요로상피암 환자를 치료하는 임상 3상 결과가 발표됐다. 전체 생존 기간 중앙값(median Overall Survival ·

mOS)이 표준 요법 대비 두 배나 증가했다. 머크는 이 시점에 맞춰 본격적인 ADC 투자를 선언했다. 그로부터 한 달 후 또 다른 빅파마 애브비도 이뮤노젠ImmunoGen을 101억 달러에 인수하며 ADC 개발 경쟁에 뛰어들었다. 이뮤노젠은 백금저항성 난소암 ADC 치료제 엘라히어Elahere로 미국 식품의약국로부터 가속 승인을 받아 판매 중이다. 애브비는 전 세계에서 가장 성공한 면역 항암제 휴미라Humira의 제조사다. 미래 먹거리로 ADC를 택한 셈이다. 또, 화이자도 이 분야 강자인 시젠Seagen 인수로 참전을 선언했다. 시장 조사 기관인 글로벌데이터에 따르면 2029년 글로벌 ADC 시장은 연간 360억 달러(48조 원) 규모로 커질 전망이다.

일명 유도 미사일 항암제로 불리는 ADC는 항체와 약물이 결합한 구조다. 항체는 ADC를 공격하고자 하는 목표까지 안내하는 역할을 담당한다. 목표에 도달하면 항체와 약물을 화학적으로 연결하고 있던 링커가 특정 조건하에서 분리된다. 그러면 약물이 목표를 공격하는 원리다. 예를 들어 암세포 치료제로 개발된 ADC는 혈관을 타고 수많은 정상 세포 사이에 숨어 있는 암세포를 정확히 찾아가 탑재된 약물로 사멸한다. 유도 미사일이라 불릴 만하다.

ADC가 시장의 주목을 받기 시작한 건 일본 제약사 다이이치산교와 영국 아스트라제네카가 공동 개발해 상업화에 성공한 엔허투(트라스트주맙-데룩스테칸)가 유방암 치료에서 뛰어난 효과를 증명하면서다. 이를 바탕으로 2023년 상반기에 전년 대비 146퍼센트 성장한 6억 달러의 매출을 올렸다. 여기서 트라스트주맙은 항체, 데룩스테칸은 암을 공격하는 약물이다. 항체인 트라스트주맙이 타깃인 암세포 표면에 발현된 HER2(인간 상피 성장인자 수용체2)를 찾아가 결합하면 세포 속으로 빨려 들어가게 되고, 세포질에서 ADC의 링커가 풀리며 데룩스테칸이 암세포를 공격하는 방식이다.

아이디어는 비교적 간단하지만 항체와 약물, 링커 각각의 역할이 매우 중요하다. 동시에 이 셋이 조화롭게 움직여야 한다. 무엇보다 항체의 특정 부위에 링커를 접합해 특정 환경에서만 약물을 방출하는 안정적인 플랫폼을 확보하는 게 중요하다. 그래야 항체의 변형을 최소화하고, 치료 효과를 높일 수 있다.

먼저, 항체는 전달체로서 기능한다. 다양한 항체에 약물을 결합하면 원하는 곳으로 약물을 보낼 수 있어 보다 강력한 치료 효과를 기대할 수 있다. 항체의 역할에 대한 인식 변화는 항체 링커 플랫폼의 다양한 응용을 가능하게 만든다. 예컨대 이중 항체를 사용할 수 있다. 미국 빅파마 BMS는 중국계 바이오테크 시스트이뮨SystImmune과 84억 달러의 규모의 ADC 개발 계약을 체결했다. 시스트이뮨은 EGFR·HER3(이중 항체)와 제3세대 페이로드(세포 독성 약물)를 적용한 ADC 플랫폼을 보유하고 있다. 두 개의 항원을 타깃할 수 있어 단일 항체 대비 치료 효과가 더 좋을 것으로 기대하고 있다.

약물의 다양화 또한 화두다. ADC에서 약물은 암세포를 파괴하는 중요한 역할을 한다. 현재 가장 많이 사용하는 약물은 두 가지다. 암세포 미세 소관(세포 모양을 유지하는 골격 구조)의 성장을 교란시키는 튜블린 억제제(Tubulin inhibitor)와 암세포의 DNA를 손상시키는 PBD(피롤로벤조디아제핀)·Dxd(데룩스테칸) 등이다.

최근엔 ADC 약물에도 변화가 감지되고 있다. 단백질 분해제인 TPD가 새로운 ADC 약물로 개발되는가 하면 방사성 물질을 항체에 연결하는 연구도 진행되고 있다. 얼마 전 머크는 현재 보유하고 있는 ADC 기술과 바이오테크 C4 테라퓨틱스(C4 Therapeutics)의 TPD 기술을 결합해 분해제-항체 접합체(DAC)를 개발하겠다고 발표했다. DAC의 원리는 ADC와 같다. DAC의 항체가 암세포를 찾아간 후 약물인 TPD가 항원 단백질을 분해하는 원리다.

만약 목표에 도착하기 전에, 즉 항체와 약물이 분리되면 심각한 부작용을 초래할 수 있다. 혈중에서는 단단히 결합력을 유지하다가 정확한 장소에서 약물이 분리되는 링커 기술 또한 중요한 이유다. 혹시 '배달 사고'로 조기에 약물이 방출되더라도 비활성 상태를 유지해 위험을 줄이는 톡신 플랫폼도 필요하다. 약물의 경우 독성이 강한 물질일수록 치료 효과는 높지만, 부작용의 위험 또한 증가한다. ADC 돌풍을 일으킨 엔허투도 간질성 폐 질환 부작용 가능성이 약점으로 지적되고 있다. 후발 주자에게는 기회일 수 있다.

단기적으로 뚜렷한 기술 발전을 이룬 덕에 ADC는 비만 치료제와 더불어 바이오 업계의 최대 화두로 우뚝 섰다. 다양한 약물을 적소에 전달하는 DDS(Drug Delivery System) 플랫폼은 그동안 발전이 가장 더딘 분야 중 하나였는데 ADC가 하나의 전기를 마련한 셈이다. 한 제약 회사가 약물과 링커 기술을 가지고 있어도 검증된 항체까지 보유한 경우는 드물다. 여러 제약사 간 협업이 활발해지면 신약 개발 속도는 더욱 빨라질 수 있다. ADC의 성장세를 미풍으로 단정해서는 안 되는 이유다.

또 다른 항체 응용 치료제로는 이중 항체 치료제가 있다. 하나의 항원에만 결합하는 항체 치료제와는 달리, 이중 항체는 두 개의 항원을 인식해 동시에 결합하는 항체 치료제다. 단일 항체 대비 치료 효과가 뛰어난 것으로 알려지면서 최근 활발히 개발되고 있다. 예를 들어 한쪽 부위로는 T세포와 결합하고, 다른 한쪽은 암세포와 결합해 살상 효과를 극대화하는 식이다.

이중 항체 치료제는 2022년 12월 글로벌 제약사 로슈의 습성 황반변성 치료제 바비스모가 미국 식품의약국의 승인을 받으면서 주목을 받고 있다. 망막의 중앙부에 위치한 황반은 시각 세포가 밀집한 중심 기관이다. 어떤 이유로 황반에 변형이 생기면 사물이 구부러져 보이는 등의 증상이 나타난다. 노화가 주원인이라 60세 이상에게 흔히 발병하고, 전 세계적으로 환자 수도 매우 많다.

아일리아 등 기존 주사 치료제가 있지만 바비스모는 치료 횟수가 적다는 게 강점이다. 출시한 지 1년도 안 됐지만, 올해 2분기에만 매출 1조 원을 돌파하며 '블록버스터' 타이틀을 얻었다. 이중 항체는 두 개의 결합 부위를 갖는다는 공통성을 유지하면서도 다양한 형태로 개발되고 있다. Y자 항체의 말단 부분으로도 항원과 결합하는 형태, 몸통을 제거한 한쪽 가변 부위 두 개와 결합하는 V자 형태 등 여러 연구가 진행 중이다.

관련 국내 기업의 기술력과 가치도 꼼꼼히 따져볼 필요가 있다. 예컨대 레고켐바이오는 2022년 12월 빅파마 암젠과 최대 1조 6000억 원 규모의 기술 이전 계약을 체결했다. 암젠이 레고켐바이오의 ADC 플랫폼 기술을 이전받아 치료제를 개발하는 프로젝트다. 암젠과의 계약은 레고켐바이오가 ADC와 관련해 기술을 수출한 열 번째 사례다. 적어도 국내에선 이 정도의 성공 사례를 찾아보기 어렵다. 그리고 정확히 1년 후인 2023년 12월 레고켐바이오는 또 다시 국내 제약 바이오 기업 중 단일 신약 후보 물질로는 최대 규모인 2조 2000억 원 규모의 기술 수출 계약을 얀센(존슨앤존슨의 자회사)과 체결했다. 글로벌 기술 경쟁력을 확실히 입증한 셈이다.

암 정복의 또 다른 가능성: CAR-T 면역 세포 치료제

덥거나 추워지면 인간의 신체는 외부 기온에 맞춰 반응해 정상 체온으로 되돌린다. 이와 같이, 우리 몸이 생존에 최적의 조건을 유지하는 경향을 항상성이라고 한다. 이런 안정된 상태를 유지하려면 다양한 조절 메커니즘이 필요하다. 적이 등장했을 때도 마찬가지다. 인체에는 외부에서 유래한 물질이나 암세포가 나타났을 때 대응하는 면역 체계가 존재한다.

면역은 우리 몸이 자신을 보호하는 방어 시스템이다. 우리 몸에 속하는 '자기'와 이물질로 취급하는 '비非자기'를 구별하고, 만일 비자기로 확인되면 가차 없이 공격해 제거하는 방식이다. 면역 체계의 핵심 전력은 몸에 침입한 바이러스나 암세포와 같은 병원체를 공격하는 면역 세포다. 앞서 살펴본 B세포를 비롯해 T세포, NK세포, 수지상 세포 등이 대표적이다.

크게는 선천적·후천적 면역 세포로 구분할 수 있다. 선천적 면역 세포인 NK(Natural Killer·자연 살상)세포는 이름처럼 침입한 바이러스나 암세포를 만나면 즉시 활성화하는 특징을 갖고 있다. 특정 타깃만 공격하는 게 아니라 이물질이라고 판단되면 가리지 않고 공격한다. 반면에 후천적 면역 세포는 공격 대상을 특정한다. T세포가 그렇다. 침입자에 대해 학습한 뒤 이 타깃(표적)만 제거한다. 한 번 경험한 침입자는 기억해 뒀다가 다시 침입했을 땐 학습 과정 없이 인식하고, 공격한다.

현재 항암 면역 세포 치료제로 가장 활발히 개발 중인 건 T세포다. T세포는 종류와 역할에 따라 세포 독성 T세포, 도움 T세포, 조절 T세포, 자연 살상 T세포 등으로 구분할 수 있다. 이 중 세포 독성 T세포는 바이러스나 암세포 공격에 특화된 전사다. 직접 항원을 찾아내서 파괴하거나 사이토카인Cytokine을 활용해 다른 세포의 활성과 기능을 조절한다. 사이토카인은 면역 세포에서 분비되는 면역 조절 인자로, 암세포와의 전투에서 핵심적인 역할을 한다.

평소 조용하던 T세포는 정찰병 역할을 하는 항원제시세포(APC·B세포나 수지상 세포)를 만난 뒤 본격적인 활동을 시작한다. APC는 인체의 이물질인 항원을 감지한 뒤 항원 단백질(펩타이드) 조각을 주조직 적합성 복합체1(MHC1)와 결합한 형태로 T세포에 보여 준다. 이 펩타이드-MHC1 조합이 세포의 표면에 위치하면 안테나 역할을 하는 T세포 수용체(TCR)

는 평소와 다르다는 걸 인지한다. 그런 뒤 적군이라고 판단하면 T세포는 상대를 공격해 없앤다.

복잡하지만 효과적인 이 시스템이 늘 작동하는 건 아니다. 예를 들어 마을에 흉악범이 잠입했다는 제보가 들어와서 경찰이 순찰을 강화했다고 하자. 마침내 흉악범이 검문에 걸렸는데 신분증이 없다고 했다. 범인이 아니라고 판단한 경찰이 그냥 보내 줬다면 그건 정말 큰 실수다.

펩타이드-MHC1 조합으로 암세포를 알아차리는데, 만일 암세포가 MHC1을 암 표면에서 제거해 버리면 T세포는 암세포를 인식할 수 없다. 당연히 공격도 못 한다. 종양이 가진 회피 기전이다. T세포가 아무리 강력한 독성 무기를 갖췄다 해도 적을 알아채지 못하고 공격하지 않는다면 아무 소용이 없다. 초기에는 T세포가 암세포의 항원을 인지하고 공격하지만, 시간이 지나면 암세포의 회피 기술도 향상된다. T세포의 허점을 암세포도 알아차린 것이다.

앞선 흉악범 사례처럼 암세포의 회피 전술이 통한다는 건 T세포 수용체가 안테나 역할(경찰 역할)을 제대로 못 했다는 뜻이다. 그래서 연구자들은 기존 T세포 수용체와는 전혀 다른 방식으로 항원을 인식하는 고성능 안테나를 고안하기 시작했다. 그 결과물이 바로 CAR-T(키메릭 항원 수용체 T세포) 치료제다. 쉽게 말해 T세포에 CAR라는 새로운 수용체를 장착한 개념이다.

CAR는 B세포에서 분리한 항체의 유전자를 세포질 내 신호 전달 유전자와 결합해 만든다. 기존 T세포의 복잡한 활성 과정을 생략하고, 다양한 항체를 생산하는 B세포의 장점을 활용해 특정 종양을 직접 인식하도록 설계한 것이다. 표적을 찾아가 결합하는 항체의 독특한 특성을 세포 치료제에서 활용한 것이다.

CAR-T의 작동 원리는 다음과 같다. 먼저 환자의 혈액을 채취해 세포 독성 T세포를 분리한다. 그다음 CAR 유전자를 세포 독성 T세포와 결합하면 고성능 안테나를 장착한 CAR-T가 완성된다. 이 CAR-T를 대량으로 배양한 다음 다시 환자에게 넣어 준다. 특정 항원을 인식하도록 설계된 CAR-T는 해당 암세포만을 골라서 파괴한다. 신분증이 없다는 암세포의 잔꾀도 더는 통하지 않는 셈이다.

미국 식품의약국은 2019년 최초의 CAR-T 치료제인 킴리아Kymriah를 승인했다. B림프구 종양을 타깃하는 CAR-T로, 암세포 표면에 발현된 단백질(CD19)의 특정 부위를 인식하도록 설계된 치료제다. 킴리아는 기존에 5년 생존율이 10퍼센트에 불과했던 B세포 급성 림프구성 백혈병 환자의 치료 환경을 획기적으로 바꿔 놓았다. 킴리아로 치료한 환자의 완전 관해율(CR·암세포가 완전히 사라진 상태)이 82퍼센트를 나타냈고, 이 환자가 재발 없이 5년간 생존할 확률도 44퍼센트에 달한다. 혈액암 치료의 지형을 바꾼 것으로 평가할 만한 결과다.

CAR-T는 저마다 인식하는 특정 단백질의 이름을 앞에 넣어 CD19 CAR-T, BCMA(B세포 성숙 항원) CAR-T, HER2 CAR-T 등으로 부른다. 지금까지 상업화에 성공한 CAR-T는 CD19 계열로 킴리아·예스카타·브레얀지·테카투스, BCMA 계열로 아벡마·카빅티 등이 있다. 모두 혈액암 치료제로 환자의 T세포를 채취해 만들고, 한 번 투여로 끝나는 '원샷' 치료제 형태다.

혈액암은 정확한 원인을 알기 어려운 경우가 많다. 다양한 치료제가 개발될수록 환자의 희망도 커진다. 다만 CAR-T는 놀라운 치료 효과만큼 가격 또한 놀랍다. 킴리아의 경우 국내 기준 3억 원 이상이다. 환자 맞춤형으로 만드는 만큼 비싸고, 기간도 꽤 오래 걸린다.

부작용도 극복해야 할 과제다. 사이토카인 신드롬(CRS·Cytokine Release Syndrome)이 대표적이다. T세포 치료제를 주입한 뒤 면역 세포가 활성화되면서 사이토카인이 과분비 되는 증상을 말한다. 사이토카인은 암세포와 싸우기 위해 면역 세포가 내는 물질이지만, 과잉 상태가 되면 다른 장기까지 공격할 수 있다. CAR-T 치료 때 70퍼센트 이상의 환자에게서 발생하는데 심하면 사망에 이를 수 있다.

확장성 역시 고민거리다. 아직 CAR-T는 혈액암 치료에 한정돼 있다. 고형암(세포로 이뤄진 단단한 덩어리 형태의 종양을 총칭)으로 연구가 확장되고 있지만 고형암은 종양 미세환경(TME, 암을 둘러싼 주변 미세 물질)이 혈액암보다 훨씬 복잡하다. 그래서 다른 치료제와의 병용 연구가 활발히 진행 중이다.

NK세포

T세포가 '자기'와 '비자기'를 구분해 적을 공격하는 것과 달리 NK세포는 정상인지, 비정상인지를 기준으로 공격 대상을 선별하는 선천적 면역 세포다. 쉽게 말해 신분증 제시 요구에 응하지 않으면, 그 자체를 비정상으로 간주하고 체포하는 식이다.

NK세포의 최대 장점은 특정 항원이 필요 없다는 점이다. 별도의 유전자 조작 없이 타인에게 사용할 수 있는 동종세포 치료제 개발이 가능하다는 뜻이다. 당연히 치료 비용도 훨씬 저렴하다. 효과만 확인하면 훨씬 낮은 가격으로 상용화할 수 있다. 타인의 NK세포를 사용할 수 있고, CAR-T와 비교할 때 부작용도 훨씬 적다.

이런 장점에도 불구하고 현재까지 공식적으로 인정받은 NK세포 치료제는 없다. 혈액 속에 소량의 비율로 존재하고, 증식도 덜 한다. 수명 또한 짧다. 대량으로 배양하고, 장기간 유지하는 기술이 필요하다는 뜻이다.

최근엔 CAR-T와 NK세포의 장점을 결합한 CAR-NK 연구도 진행 중이다. 일본 제약사인 다케다가 가장 앞서 있는데 킴리아처럼 CD19를 타깃으로 한 TAK-007로 글로벌 임상 2상을 진행하고 있다.

NK세포는 최근 대형 사건을 경험하면서 투자 심리가 확 꺾였다. 2021년 미국 제약사 페이트는 글로벌 빅파마 얀센과 31억 달러(4조 원) 규모의 기술 수출 계약을 맺었다. 얀센 입장에선 페이트가 강점을 가진 유도 만능 줄기세포(iPSC·만능 줄기세포에서만 발현하는 특정 유전자를 만능성이 없는 체세포에 넣어 만능성이 있는 세포로 역분화한 세포) 기술을 활용하면 동종 유래 CAR-T와 CAR-NK 치료제 개발이 가능하다고 봤다.

NK세포 관련 계약으론 역대 최대 규모, 빅파마의 공식적인 참전이라는 점에서 시장의 기대가 컸다. 하지만 2023년 1월 두 회사의 동행은 끝났다. 임상에서 만족할 만한 데이터가 나오지 않자 얀센이 협업을 종료하기로 결정했다. 페이트가 개발하던 CAR-NK 치료제 파이프라인은 대부분 중단됐고, 회사는 대규모 구조 조정을 단행했다. 한때 100억 달러에 달했던 페이트의 시가 총액은 현재 3억 달러에 불과하다.

2021~2022년과 달리 지난해엔 NK세포 관련 기술 이전 사례가 현저히 줄었다. 관련 기업의 주가도 바이오 지수 대비 하락 폭이 컸다. NK세포 국내 최강자인 지씨셀 역시 마찬가지였다. 하지만 iPSC에 기반을 둔 페이트와 제대혈 중심의 지씨셀은 기술이 다르고, NK세포 치료제에 대한 수요는 여전하다. 무엇보다 지씨셀은 모회사(녹십자)의 든든한 지원을 바탕으로 다양한 파이프라인을 확보하고 있다.

최근 FDA는 지씨셀의 미국 관계사 아티바가 개발 중인 제대혈(탯줄 혈액) 유래 NK세포 치료제 AB-101의 임상 1상 IND를 승인했다. 자가 면역 질환 치료제로 널리 쓰이는 리툭시맙과 병용해 효능을 강화하려는 목적이다. 자가 면역 질환 동종 NK세포 치료제로는 첫 승인이다. 기성품 형태로 개발돼 입원 없이 치료를 받을 수 있는 것도 장점이다.

암세포 표면에서 흔히 발현되는 HER2를 타깃으로 한 CAR-NK 치료제 AB-201도 2022년 1상 IND 승인을 받고, 얼마 전 임상에 착수했다. 지씨셀은 2021년 빅파마 머크와 18억 달러(2조 4000억 원) 규모의 CAR-NK 치료제 기술 이전 계약을 맺었다. 고형암 대상 CAR-NK 치료제 개발이 목표인데 아직 구체적인 계획은 없다.

엔케이맥스도 잘 알려져 있다. 불응성 육종암이나 후기 비소세포폐암 환자에게 NK세포 치료제인 SNK01과 면역 항암제로 널리 쓰이는 키트루다를 병용하는 요법이 대표적인 파이프라인이다. 머지않아 미국 임상 1상 최종 결과가 나온다. 중간 데이터에서 나왔던 만족스러운 결과가 최종적으로 확인된다면 순조롭게 2상으로 넘어갈 수 있다. 기술 수출 가능성도 커진다.

현 단계에서 면역 세포 치료제의 기본적인 개념은 CAR+면역 세포 형태다. 최근엔 CAR-대식세포(M·암세포 등을 모조리 집어삼키는 능력을 갖춘 세포), CAR-MIL(골수침윤림프구) 치료제로 아이디어가 확장하고 있다. CAR-T는 한두 개의 종양 항원을 인식하지만, MIL은 다발골수종의 여러 항원을 인식할 수 있어 치료 효과를 높일 수 있다. 둘 다 연구는 초기 단계다.

mRNA 암 백신

암 치료 시장에서 최근 부쩍 관심을 모으고 있는 건 암 백신이다. 모더나Moderna와 머크(MSD)가 함께 개발하고 있는 흑색종 암 백신이 기대 이상의 효과를 입증하면서다. 백신은 질병을 일으키는 병원체의 항원과 유사하지만 병원성이 적거나 없는 의약품을 말한다. 백신을 접종하게 되면 인체의 면역 체계는 병원체에 대한 정보를 기억해 두었다가, 병원체가 인체를 침범하게 되면 기억을 되살려 빠르게 무력화시키는 역할을 한다.

예방 접종(Vaccination)은 소를 의미하는 라틴어 Vacca에서 유래한 말이다. 소를 키우는 사람이 우두에 노출되면 천연두에 걸리지 않는다는 사실에 착안해 사전에 우두를 접종하여 천연두를 예방하는 방법으로 쓴 게 출발점이다. 이후 파스퇴르가 자신이 개발한 광견병 예방법을 백신Vaccine이라 칭하면서 본격적으로 사용됐다. 천연두 이후 다양한 백신이 개발되면서 많은 이의 목숨을 앗아갔던 홍역 같은 전염성 질병들이 서서히 자취를 감추게 됐다.

최근 이런 백신의 원리를 암 예방과 치료에 적용하려는 움직임이 활발하다. 백신은 우리 몸의 후천성 면역을 이용하는 원리다. 한번 몸 속에 침범했던 병원체를 기억했다가 그 병원체에 감염됐을 때 기억된 정보를 이용해 빠르게 퇴치하는 것이다. 질병에 대한 일종의 가벼운 선행 학습인 셈이다. 이런 원리를 활용해 암을 특징짓는 항원을 만들어 주사한 뒤 암을 예방하거나 치료해 보자는 아이디어가 바로 암 백신이다.

암 백신은 암 특이 항원(암세포에 존재하지만 정상 세포에서는 발현하지 않는 항원을 총칭하는 말)을 암 환자에게 투여해 면역 시스템을 활성화하고, 이를 통해 항원에 대한 특정 반응을 유도하는 물질을 말한다. 일단 그 목적에 따라 예방용 암 백신과 치료용 암 백신으로 나누어 볼 수 있다. 아직은 예방용 암 백신이 주요 비중을 차지하고 있다. 프레시던스 리서치에 따르면 2022년 기준 글로벌 시장 규모는 91억 달러(12조 원) 정도지만 연평균 11.4퍼센트씩 성장해 2032년에는 268억 달러(35조 원)에 이를 전망이다.

접종만으로 암을 예방할 수 있다는 기대가 커지고, 더 나아가 개인별 암 백신도 만들 수 있다는 꿈이 맞물려 시장이 빠르게 성장하고 있다. 암 백신 개발을 위한 투자와 각국 정부의 투자도 이를 뒷받침한다. 2023년 초 영국 정부는 암 백신 개발을 위해 251억 달러를 투자하겠다고 발표한 데 이어 7월에는 바이오엔텍BioNTech과 장기적인 파트너십을 체결했다. 2030년까지 최대 1만 명의 환자에게 메신저 리보핵산(mRNA) 기반 암 백신을 제공하겠다는 구상이다.

암 백신은 제조 방법에 따라 재조합 암 백신, 핵산 암 백신, 수지상 세포 암 백신 등으로 나뉜다. 재조합 암 백신은 환자의 특이 항원 유전자를 편집한 다음 미생물에 넣어 미생물이 만든 부산물에서 항원 단백질을 추출하는 방식이다. 핵산 암 백신은 인간 DNA나 RNA를 이용해 우리 세포가 직접 항원을 생산하도록 유도한다. 수지상 세포 암 백신은 암 특이 항원을 추출하고 환자의 수지상 세포가 항원을 인식하도록 학습을 유도한 후 다시 환자에 주입하는 식으로 치료가 진행된다. 이렇게 주입된 수지상 세포는 환자의 휴식 T림프구를 자극하여 세포 독성 T세포로 분화시키고, B세포를 활성화하여 암세포를 사멸한다.

현재까지 전체 암 백신 시장에서 가장 큰 비중을 차지하고 있는 건 예방용 자궁경부암 백신이다. 세계보건기구에 따르면 자궁경부암은 여성에게 네 번째로 흔한 암으로 2020년에만 약 60만 명 이상 발병한 것으로 나타났다. 예방 접종에 의해 암을 예방할 수 있다는 인식이 확산되면서 시장도 빠르게 성장하고 있다.

더 큰 관심을 끄는 건 아무래도 치료용 암 백신이다. 치료용 암 백신은 암 병력이 있는 환자의 재발 예방이나 치료를 위해 종양 항원에 특정 반응을 일으키도록 설계된 백신이다. 코로나19 mRNA 백신을 앞장서 개발했던 모더나와 바이오엔텍이 치료용 암 백신 개발에 착수했다는 소식이 전해지면서 뜨거운 관심을 모으고 있다.

머크와 모더나가 개발한 mRNA-4157은 흑색종 환자 개개인의 항원에 기반해 제작된 치료용 백신이다. mRNA 암 백신은 암세포에서 발생하는 특정 유전자 변이를 치료에 활용하는 방식이다. 일단 정상 세포엔 없는 암세포에서의 DNA 돌연변이를 찾은 뒤 이 단백질을 뽑아 항원으로 만든다. 이를 일종의 단백질 설계도인 mRNA로 제작해 넣으면 면역 세포인 T세포가 이 항원을 가진 암세포를 공격하는 방식이다. 예컨대 mRNA-4157은 최대 34개의 항원을 합성하도록 설계됐다.

결과는 놀라웠다. 임상 2b상에서 157명의 고위험 흑색종 환자를 대상으로 면역 항암제 키트루다와 병용하는 테스트였는데 키트루다 단독 대비 암의 재발이나 사망 위험을 감소시키고, 심각한 부작용도 증가하지 않았다는 결과였다. 암 백신과 키트루다를 함께 사용한 환자의 2년 생존율은 77.6퍼센트로 키트루다 단독 사용 때(60퍼센트)보다 월등히 높았다.

이로써 모더나는 mRNA기술이 코로나19 백신에 한정된 기술이 아님을 증명해 보였다. 다른 암종에서도 효과를 입증해야 필요는 있지만 개인화된 암 백신이 꿈이 아님은 입증된 것이다. mRNA-4157은 현재 임상 3상에 돌입했고, 비소세포폐암과 두경부 편평상피세포암 등 다른 적응증에 대한 개발도 진행되고 있다.

치료용 암 백신은 환자 개인별로 접근해야 하기 때문에 개발의 신속성이 상업화의 선결 요건이다. 코로나19 백신 개발이 보여 줬듯이 mRNA는 다른 모달리티 대비 경쟁력을 갖추고 있다. mRNA 기술은 설계와 생산 등을 거쳐 환자에 제공되기까지 리드타임이 가장 짧은 기술이다. 여기에 인공지능이 가세하면서 약물 설계 단계에서 유효 물질 발굴을 위한 시간은 더욱 단축됐다. 모더나는 인공지능 개발 등 디지털화에

2022년 매출의 23퍼센트에 해당하는 45억 달러를 투자했다. 효능이 뛰어날 것으로 예상되는 항원을 빠른 시간내에 선별할 목적이었다. 아낌없는 투자를 한 결과 4~6주 만에 암 백신을 생산하는 데 성공했고, 거대 시장을 선점할 기회도 잡았다.

모더나와 함께 치료용 암 백신의 선두 그룹을 달리고 있는 바이오엔텍은 로슈Roche의 계열사인 제넨텍Genentech과 공동으로 mRNA기반 암 백신 임상을 진행하고 있다. 개인 정밀 mRNA 암 백신 후보 물질 오토진 세부메란autogene cevumeran을 수술로 절제된 대장암의 보조 치료제로 쓰는 방안, 진행성 흑색종 1차 치료에서 키트루다와 병용하는 방안, 췌장관세포암 환자를 대상으로 면역 항암제 티센트릭과 병용하는 방안 등 다양한 임상을 진행 중이다.

바이오엔텍은 최근 세포 치료제 CAR-T(BNT211)와 mRNA 백신을 결합해 고형암을 치료하는 임상 결과도 발표했다. mRNA 백신을 환자에 투여해 효과적으로 항체를 형성함으로써 암을 공격하는 CAR-T가 지속적으로 증가하도록 유도하는 방식이다. 44명의 고형암 환자에게 네 단계에 걸쳐 백신을 투여했는데 환자 중 45퍼센트의 종양 크기가 줄어들었고, 74퍼센트의 환자에서 암이 더 이상 성장하지 않았다. 역시 놀라운 결과다.

2023년 미국임상종양학회(ASCO)에서는 암 백신 관련 임상 초록이 50여 개나 공개됐다. 향후 5년 내에 흑색종·췌장암·유방암·폐암 등 주요 고형암을 치료하는 치료용 암 백신이 규제 기관의 승인을 받을 것이라는 전망에 힘이 실리는 이유다. mRNA 기반 치료용 암 백신이 타깃하는 적응증은 1위가 흑색종이고 비소세포폐암과 두경부암이 뒤를 잇는다. 보다 강력한 항암 효과를 유도하기 위해 대부분 기존 면역 항암제와 병용하는 임상을 진행하고 있다. 난치성 고형암은 환자가 매우 많지만 확실한 치료제가 없는 영역이다. 임상 결과가 좋다면 확실한 게임 체인저가 될 수 있다.

유전자 치료제 ; 신약 개발의 열쇠

바이오 공부에서 빅파마의 움직임을 살피는 것만큼 중요한 건 신기술의 발전 과정을 따라가는 여정이다. 신약의 중심이 합성 의약품에서 바이오 의약품으로 이동한 건 이미 옛말이다. 바이오 의약품 중에서도 항체 치료제와 면역 세포 치료제가 현재 연구의 중심축을 형성하고 있다. 장기적으로는 핵산(유전자) 치료제의 발전이 새로운 패러다임이 될 게 분명하다.

우리는 저마다 지닌 고유한 특성인 유전 물질을 다음 세대에게 전달해야 할 사명이 있다. 이 유전 물질이 바로 유전자다. 우리 몸을 이루고 있는 수많은 세포의 핵 속에는 2만 3000개의 유전자가 DNA(Deoxyribo Nucleic Acid)라는 저장 형태에 담겨 있다. 군데군데 색깔이 칠해져 있는 긴 끈을 상상해 보자. 긴 끈이 DNA, 끈에 칠해진 특정 색의 구간들이 유전자다.

태아로 성장하기 위한 첫 세포 속에는 엄마와 아빠로부터 물려받은 2만 3000개의 유전자가 담겨 있다. 유전자를 똑같이 복제한 뒤 세포 분열을 하게 되면 자연스럽게 모든 세포는 같은 DNA와 유전자를 공유하게 된다. 이렇게 분열을 거듭해 8주가 지나면 비로소 태아가 되고, 모든 세포에는 각각 똑같은 2만 3000개의 유전자가 들어 있게 된다.

핵산 치료제를 이해하려면 대전제 성격인 중심 이론(Central dogma)을 먼저 알아야 한다. 생명체의 고유한 유전 정보는 DNA, 즉 유전자에 담겨 있고 DNA의 정보를 복사한 RNA(Ribo Nucleic Acid)라는 중간 단계를 거친다. 이후 우리 몸을 구성하는 물질을 만들거나 생리 기능을 조절하는 단백질의 형태로 최종 전달된다. 이 과정을 중심 이론이라고 한다. 단백질을 만드는 방법이 적혀 있는 원본이 DNA고, 복사한 사본이 RNA인 셈이다. 더 정확히 이야기하면 DNA에 담겨 있는 2만 3000개의 유전자가 mRNA(messenger RNA)로 다듬어져(전사), 최종적으로 10만 종류 이상의 단백질이 생산(번역)된다. 이렇게 만들어진 단백질이 제 기능을 해야 인간이 생존할 수 있다.

단백질을 우리 사회에 빗대어 표현하면 다양한 직업을 갖고 열심히 일하는 사람들과 같다. 교사나 요리사 등이 특정한 기술을 갖고 사회에서 자신의 역할을 하며 살아가듯, 10만 종류 이상의 단백질도 저마다 다른 모양의 3차원 구조로 합성돼 주어진 역할을 해낸다. 한마디로 단백질은 인체의 일꾼이다. 만일 단백질 생산의 원본인 DNA에 돌연변이가 생긴다면 어떤 일이 벌어질까. 돌연변이 DNA 정보가 전달돼 mRNA(전 단계인 pre-mRNA 포함)가 정상적으로 만들어지지 못하고, 결과적으로 유전 정보의 최종 목적물인 단백질도 불량품이 될 수밖에 없다.

이처럼 유전자 돌연변이로 인해 질병이 생겼을 때 DNA나 DNA의 복사본인 mRNA를 제거·편집·절단·삽입하는 방식으로 치료하는 기술을 핵산 치료제라고 한다. 현재 주류를 이루고 있는 항체 치료제는 이미 만들어진 질병 단백질을 제거하거나 기능하지 못하게 하는 데 목적이 있다. 이와 달리 핵산 치료제는 단백질이 만들어지기 전 단계에서 차단하는 게 목표다.

핵산 치료제는 크게 유전자 치료제, 유전자 편집 치료제, pre-mRNA 치료제, mRNA 백신, RNAi(RNA interference) 등으로 구분할 수 있다.

① 유전자 치료제

유전자 치료제에서도 앞서 언급한 중심 이론이 중요하다. 우리 몸에 필요한 단백질은 닭고기나 돼지고기 등 음식물을 통해 바로 얻을 수 없다. 고기를 먹고 몸 안에서 단백질을 분해해 다양한 아미노산 형태로 각 세포에 공급하면, 세포는 중심 이론에 따라 DNA로부터 전사된 mRNA를 순차적으로 번역하면서 세포 안의 다양한 아미노산을 불러들여 단백질을 합성하게 된다.

그런데 어떤 사람이 유전자 결함으로 근육에 쓰이는 단백질이 생산되지 않는다고 가정해 보자. 근육이 제대로 기능하지 못하면 중대한 질병을 일으키고, 생명까지 위협할 수 있다. 단백질이 합성되지 않는다는 이야기는 그 원형인 유전자가 잘못됐다는 뜻이다. 즉 유전자 돌연변이다.

이처럼 특정 단백질이 생산되지 않는 환자를 치료하기 위해, 해당 단백질을 만드는 유전자를 설계한 뒤, 전달체(벡터)에 넣어 전달하는 걸 유전자 치료제라 한다. 유전자 치료제는 한번 투여해 질병을 치료한다. 세포 속 핵 안으로 전달된 유전자는 평생 기능하기 때문이다.

② 유전자 가위

유전자 편집 치료제는 유전자 가위(가이드 RNA+Cas9)를 사용한다. 유전자에 돌연변이가 발생하면 엉뚱한 mRNA가 생산되고, 그러면 전혀 다른 모양의 단백질로 번역된다. 이렇게 변형된 단백질은 제 기능을 하지 못하고 서로 엉켜 중대한 질병의 원인이 된다.

치료제로서 인체의 조직에 전달된 유전자 가위는 가이드 RNA의 인도에 따라 세포의 핵으로 들어가 타깃으로 하는 유전자 부위와 결합한 후 Cas9 단백질로 유전자 두 줄을 절단한다. 절단된 유전자는 더는 기능할 수 없게 돼 변성된 단백질 생산을 멈추게 된다.

2023년 12월 최근 미국의 크리스퍼 테라퓨틱스CRISPR Therapeutics와 버텍스Vertex가 특정 유전 질환인 겸상 적혈구 빈혈, 지중해성 빈혈 등을 치료하기 위해 개발한 사상 첫 유전자 편집 치료제 엑사셀Exa-cel이 현재 미국 식품의약국의 승인을 받았다. 이 분야에서 FDA로부터 합격증을 받은 건 엑사셀이 처음이다. 시장 조사 기관 BCC리서치의 보고서에 따르면 유전자 편집 치료제 시장 규모는 2022년 33억 달러에서 2027년 92억 달러로 성장한다. 연평균 22.3퍼센트씩 가파르게 성장하는 시장에서 엑사셀 승인은 상당한 의미를 부여할 만한 사건이다. 향후 망막색소변성증, B세포 림프종, 다발성 골수종 등 다양한 영역에서 연구의 속도를 낼 전망이다.

③ pre-mRNA 치료제

pre-mRNA 단계에서의 문제를 교정하는 방법도 있다. DNA에서 Pre-mRNA로 진행될 때는 유전자의 모든 정보를 포함하게 된다. 단백질 합성에 꼭 필요한 엑손exon도 복사되지만, 필요 없는 인트론intron도 따라온다. 엑손만으로 이루어진 mRNA로 만들기 위해 인트론을 제거하는 과정을 스플라이싱splicing이라고 한다. 그런데 스플라이싱 과정에서도 오류가 발생할 수 있다. 일종의 배달 사고다. 원형인 DNA 유전 정보를 중간 단계에서 제대로 전달하지 못해 잘못된 단백질을 생산한다. Pre-mRNA 단계의 스플라이싱 오류를 조절하는 약물이 바로 ASO(antisense oligonucleotide)다.

④ mRNA 백신

코로나19 확산 이후 우리에게 익숙해진 mRNA 백신도 있다. 대부분이 mRNA 백신을 접종한 경험이 있을 텐데, 이 백신은 우리 몸속에서 어떻게 기능하는 것일까. 코로나19 바이러스에 대항하는 항체를 부모에게 받지 못했으니, 인공적으로 만든 항체를 넣어 우리 면역 체계가 대비하도록 만드는 원리다.

코로나바이러스는 캡시드capsid라는 외투 속에 유전 물질을 담고 있는 단순한 형태다. 이 캡시드에 돌기 형태로 발현된 단백질의 원형 DNA를 인공지능의 도움을 받아 설계한다.

이렇게 만들어진 DNA는 중심 원리에 의해 mRNA를 전사하게 되는데 이것이 코로나19 mRNA 백신이다. mRNA 백신 주사는 한 번도 경험하지 못한 항원의 등장을 의미한다. 새 단백질의 갑작스러운 출현은 면역 세포를 자극하고, 항체를 만드는 동시에 전투에 능한 T세포를 활성화한다. 앞서 언급한 키트루다와 같은 mRNA 암 백신은 요즘 가장 높은 관심을 받는 기술이다. 개발 속도에서 비교 우위를 갖는 만큼, 다른 모달리티와는 차별화한 기동력을 무기로 mRNA 기술은 다양한 백신으로 개발될 가능성이 높다.

⑤ RNAi

마지막 핵산 치료제는 RNAi 기술이다. 다시 중심 이론을 떠올려 보자. DNA, 즉 유전자는 mRNA로 다듬어진 뒤 단백질로 번역된다. 만일 원형인 DNA에 변이가 생긴다면 처음부터 잘못된 유전 정보가 발현돼 결국 제 기능을 못 하는 단백질로 합성된다. 역시 심각한 질병의 원인이다. 이를 원천적으로 차단하는 기술이 RNAi이다.

타깃 mRNA와 결합하도록 설계된 RNAi는 병원 mRNA를 제거해 단백질 생산을 조절할 수 있다. 유전자 가위는 핵 속의 유전자를 직접 다루기 때문에 상대적으로 위험이 크지만 RNAi는 DNA의 복사본인 mRNA를 조절하므로 단백질 생산을 억제하면서도 상대적으로 안전하다. 이론상 모든 단백질을 타깃할 수 있어 적용 분야도 넓다. 미국 앨나일람 파마슈티컬즈Alnylam Pharmaceuticals가 여러 희귀 질환 RNAi 치료제를 상업화했고, 만성 질환 치료제로도 적응증을 확대해 나가고 있다.

올릭스는 RNA 간섭 기술로 잘 알려진 바이오테크다. 보통의 약은 이미 만들어진 단백질의 활동을 억제하거나 없애는 게 목적이지만 RNAi는 단백질이 만들어지기 전 단계에서 mRNA를 제거하는 걸 말한다. 이를 위해 필요한 게 작은 간섭 RNA(small interfering RNA · siRNA)다. siRNA는 세포 내의 RNA 간섭 현상을 통해 mRNA를 분해하고, 이를 통해 표적 유전자의 발현을 억제한다.

다만 siRNA를 원하는 세포로 보내는 게 생각만큼 쉽지 않다. 멀쩡한 유전자를 억제하는 등 부작용도 있는데 올릭스는 이를 변형한 비대칭 siRNA(asiRNA)로 기존 siRNA의 여러 한계를 개선했다. RNAi 방식은 이론상 모든 단백질을 타깃할 수 있기 때문에 다양한 질병에 적용할 수 있다. 올릭스 역시 규모 대비 폭넓은 파이프라인을 보유한 게 강점이다.

AI 신약 ; 엔비디아의 AI 바이오 전략

"15년 전 인공지능 컴퓨팅 혁명을 믿었던 사람은 극소수에 불과했죠. 오늘 결과는 여러분들이 보시는 대로입니다. 신약 개발에서도 똑같은 일이 벌어지고 있어요. AI를 활용한 생명 공학 기술은 이제 전 세계에서 가장 유망한 산업 중 하나가 될 겁니다."

지난 1월 엔비디아와 바이오 AI 스타트업 리커전이 공동 주최한 비공개 만찬에 등장한 젠슨 황 엔비디아 창업자가 한 말이다. 이 말의 무게는 결코 가볍지 않다. 현재 엔비디아의 압도적인 위상 때문이다. 엔비디아는 전 세계 그래픽 처리 장치(GPU) 시장의 90퍼센트를 독점 중인 이 분야 최강자다. PC와 모바일이 급속히 성장하면서 사세도 커졌지만 진짜 날개를 단 건 최근의 생성형 AI 열풍 덕이다. GPU는 원래 게임용으로 개발된 것이지만 지금은 AI의 학습과 추론을 위한 필수 칩으로 자리 잡았다.

최근 2~3년 사이 빅테크를 중심으로 AI 설비 투자가 폭발적으로 늘었다. 그런데 이 수요를 감당할 능력을 갖춘 건 사실상 엔비디아가 유일하다. 시장은 폭발적으로 반응했다. 엔비디아 주가는 2024년 2월 820달러를 돌파했는데, 2023년 1월엔 150달러 수준이었다. 이 정도 덩치의 회사 주가가 불과 1년 사이 다섯 배 이상 뛴 것이다. 반도체 업체의 시가 총액이 1조 달러를 넘어선 것도 엔비디아가 최초였는데 이제 2조 달러까지 넘어섰다. 단기간 급상승에 대한 피로감이 없지 않으나 골드만삭스나 뱅크오브아메리카 같은 유력 투자은행은 앞다퉈 목표 주가를 끌어올리고 있다. 엔비디아 주가 급등은 과열이 아니라고 판단하고 그 성장성에 초점을 맞춘 셈이다.

AI 시장에서 가장 앞서 있는 빅테크 수장이 꼽은 다음 목표가 바로 AI발發 생명 공학 혁신인 것이다. 저 발언의 장소도 의미가 컸다. 당시 젠슨 황은 JP모건 헬스 케어 콘퍼런스(JPMHC)에 참석하려 샌프란시스코를 찾았는데 같은 시각 라스베이거스에선 세계 최대 테크 전시회인 CES 2024가 열리고 있었다. 현재가 아닌 미래를 말하려 온 셈인데 그의 의지가 어느 정도인지 예상할 수 있는 대목이다.

AI와 바이오의 만남은 무엇보다 신약 개발 기간에 큰 영향을 미친다. 현재까지 신약 개발이 로또에 비견되는 건 꼭 알맞은 약물이나 기술을 찾지 못해서가 아니다. 후보 물질을 선별하고, 효능과 부작용을 검증해 가는 과정이 매우 지난한 과정이기 때문이다. 실제로도 10년 이상 쏟아붓고도 최종 관문(승인)을 통과하지 못하는 일이 비일비재하다.

그런데 세포 수준에서 반응을 학습한 AI가 나타나면 신약 후보 물질 탐색은 물론, 임상까지 걸리는 시간을 획기적으로 줄일 수 있다. 신약 개발에 드는 엄청난 비용을 줄이는 건 물론이고, 동시에 더 많은 검증과 도전을 진행할 수 있어 효율성도 높아진다. 신약 개발의 핵심이라 할 만한 데이터 분석과 시뮬레이션이야말로 AI가 능력을 발휘할 수 있는 분야이기 때문이다. 실제로 의료 데이터의 90퍼센트 이상은 이미지 형태로 저장돼 있는데 그래픽 처리 기술에 강한 엔비디아가 이 분야에 진출하는 것 자체가 상당한 의미가 있다.

사실 젠슨 황의 구상은 단순히 신약 개발에 머무르지 않는다. 그는 DNA 구조와 수술실 데이터까지 모두 AI와 만나게 될 것이라 전망했는데 이는 생명체의 모든 활동을 컴퓨터로 시뮬레이션 하는 게 가능하다는 자신감이다.

같은 날 엔비디아는 AI 신약 개발 플랫폼 바이오니모 BioNeMo를 공개했다. 쉽게 설명하면 AI에 인간 유전자와 단백질 구조·세포 반응을 학습시키는 형태다. 빠르면 1~2년 내 바이오니모의 구체적인 적용 사례가 나올 전망이다. 이와 맞물려 자금력이 출중한 엔비디아는 최근 비상장 바이오테크에 과감하게 투자하고 있다. 대부분 AI와 연계한 신약 개발 기술을 보유한 곳이다. 예컨대 엔비디아가 2023년 7월 5000만 달러를 투자한 리커전은 현미경으로 본 세포 이미지에서 유용한 특징을 AI로 추출하는 기술을 가지고 있다. 특정 후보 약물에 대한 세포의 반응을 빠르게 학습할 수 있다는 의미다.

엔비디아뿐만 아니다. AI를 활용하려는 글로벌 빅파마와 빅테크의 합종연횡은 앞으로 바이오 투자자가 관심 있게 지켜봐야 할 핵심 포인트 중 하나다. 구글의 움직임만 봐도 그렸다. 구글은 딥마인드 등 자회사를 통해 AI를 활용한 생명 공학 연구를 지속하고 있다. 알파고의 아버지 데미스 하사비스 딥마인드 CEO는 예전 이세돌과의 대국으로 AI의 상업화 가능성을 확인한 후 미래 먹거리로 바이오를 꼽았다.

연구 개발에 힘을 쏟던 하사비스는 2021년 신약 개발에 매진할 전문업체 아이소모픽Isomophic을 설립하고 직접 CEO를 맡았다. 아이소모픽은 최근 일라이 릴리와 전략적 파트너십을 체결했다. 최대 17억 달러에 이르는 마일스톤을 받는 계약이다. 비만 치료제로 세계 1위 제약 회사에 등극한 일라이 릴리의 선택을 받은 셈이다. 아이소모픽은 또다른 빅파마 노바티스와도 로열티를 제외하고 12억 달러를 받는 계약을 맺었다. AI 활용법에 대한 빅파마의 관심이 얼마나 큰 지 알 수 있는 대목이다.

식품의약품안전처에 따르면 2022년 6억1000만 달러 수준이던 글로벌 AI 신약 시장 규모는 2027년 40억 달러로 커진다. 연평균 성장률이 무려 45.7퍼센트에 이른다. 돈 있는 기업이 돈을 싸 들고 몰려든다는 얘기다.

2 이미 도착한 바이오의 미래

알츠하이머 ; 희망은 시작됐다

현실이 된 희망

"조깅하다 갑자기 멍해졌고, 약속이나 단어도 기억하지 못했어. 내 일부가 사라지는 느낌이야."

의사로부터 알츠하이머일 수 있다는 얘기를 들은 앨리스는 내내 불안했다. 결국 한밤중에 남편을 깨워 이렇게 고백한다. 그는 부인하고 싶어도 부인할 수 없는 자신의 변화에 크게 슬퍼한다. 세 아이를 훌륭하게 키운 엄마, 다정한 아내, 대학교수. 부족할 것 없는 앨리스의 삶은 그날 이후 완전히 흔들린다. 그래도 앨리스는 현명하다. 기억을 잃어 가는 자신을 받아들이고 남은 시간을 소중하게, 그리고 당당하게 마주한다. 하지만 관객은 안다. 알츠하이머가 전달하는 무언의 공포를.

배우 줄리언 무어에게 아카데미 여우주연상을 안겨 준 영화 〈스틸 앨리스〉의 이야기다. 신경의 퇴화는 피할 수 없다. 나이 들수록 다양한 퇴행성 질환에 노출되는 건 당연한 일이다. 그중에서도 가장 심각한 건 퇴행성 뇌질환이다. 알츠하이머가 대표적이다. 뇌의 인지 기능 장애로 스스로 일상생활을 유지할 수 없는 상태를 치매라고 하는데, 알츠하이머가 전체 치매의 60퍼센트 이상을 차지한다.

초기엔 물건을 어디에 뒀는지 잊는 정도지만 기억은 서서히 또 점점 빠른 속도로 사라진다. 결국은 가족조차 알아보지 못하고, 몸을 제어하지 못하는 단계에 이르는데 인간의 존엄성을 심각하게 해친다. 알츠하이머를 '가장 슬픈 질병'이라 부르는 이유다.

퇴행성 뇌질환은 평균 수명 증가의 산물이다. 오래 사는 행복이 다른 불행의 씨앗이 된 셈이다. 세계보건기구에 따르면 2018년 전 세계 치매 환자는 약 5000만 명이었지만 2030년 7800만 명까지 늘어난다. 2050년엔 1억 3900만 명까지 증가할 거란 게 WHO의 전망이다. 글로벌 시장 조사 업체 IMARC에 따르면 퇴행성 뇌질환 치료제 시장은 2020년 63억 4000만 달러(8조 6000억 원)에서 2026년까지 연평균 6.5퍼센트씩 성장한다. 알츠하이머 치료제 시장만 2030년 130억 달러까지 커질 거란 글로벌 데이터의 조사도 있다.

알츠하이머의 명확한 원인은 여전히 밝혀지지 않았다. 유전자 변이 때문에 발생하는 베타 아밀로이드 플라크beta amyloid plaque나 신경 세포 내부의 결합 단백질인 타우 덩어리(tau tangles)와 관련이 깊을 것으로 추정할 뿐이다. 20세기 초 독일의 정신과 의사 알로이스 알츠하이머가 처음으로 확인한 이 단백질의 문제를 놓고 아주 오랜 기간 연구가 계속됐지만, 여전히 정답은 찾지 못했다.

정상적인 사람의 경우 알파 분비 효소에 의해 아밀로이드 단백질이 둘로 갈라진다. 반면에 비정상적인 경우 베타·

감마 분비 효소에 의해 절단되지 않으면서 세포 밖에서 서로 뭉쳐 올리고머oligomer를 형성한다. 이렇게 뇌에 침착한 올리고머나 '아밀로이드 플라크'의 생성을 차단·제거하는 게 치료 방법이다. 애초에 머크와 일라이 릴리 등 글로벌 제약사는 베타 분비 효소의 분비를 억제해 병적인 아밀로이드의 생성을 막는 데 초점을 맞췄다.

하지만 모두 효과를 입증하는 데 실패했다. 거듭된 임상 실패로 아밀로이드 타깃에 대한 회의론이 제기됐지만, 여전히 알츠하이머 치료제 연구에선 중심 역할을 하고 있다. 2023년 1월 기준으로 알츠하이머 치료 물질로 등록된 건 187개다. 이 중 33개는 임상 3상이 진행 중인데, 현황을 보면 가장 많은 건 역시 아밀로이드 관련 연구다.

최근엔 베타 효소 억제에서 올리고머 제거로 전선이 넓어졌다. 한마디로 잘못된 아밀로이드 생산을 억제하기보다는 치우기로 결정한 것이다. 2021년 이후 알츠하이머 환자의 베타 아밀로이드를 타깃으로 하는 항체 치료제 두 개가 미국 식품의약국의 승인을 받으며 연구는 다시 활기를 띠고 있다. 중추신경계 분야 선두 제약사인 바이오젠Biogen과 일본의 에자이Eisai가 공동 개발한 '아두헬름Aduhelm'은 FDA 자문위원단의 부정적 권고에도 2021년 초기 알츠하이머 치료제로 조건부 승인을 받았다.

그러나 인지 기능 개선 효능에 대한 근본적인 문제 제기가 있었고, 뇌부종·뇌출혈 등의 부작용 우려도 나왔다. 결국 상업화에는 실패했는데, 유럽의약품청(EMA)은 아두헬름이 효과가 명확하지 않고, 부작용이 많다는 이유로 아예 승인을 거절했다.

절치부심한 두 회사는 2023년 7월 인지 기능 저하를 늦추는 알츠하이머 치료제 레켐비로 또 한 번 FDA의 승인을 받는다. 제대로 된 알츠하이머 치료제가 없다는 점이 고려돼 아두헬름과 마찬가지로 가속 승인 절차로 일단 신약 승인을 받았다.

레켐비의 임상 3상은 알츠하이머 초기 단계 즉, 경도 인지 장애 또는 경도 치매 환자 1795명을 상대로 진행했다. 18개월간 2주에 한 번 정맥 주사로 약물을 투여받은 환자는 위약(가짜 약)을 투여받은 대조군에 비해 인지 능력 저하가 27퍼센트 늦게 진행됐다. 약 5개월가량 알츠하이머 진행을 늦춘다는 걸 확인한 셈이다.

치료 효과는 확인됐지만 레켐비는 임상 중에 뇌출혈로 세 명의 환자가 사망하면서 안전성에 또 꼬리표가 붙었다. 특히 APOE4라는 유전자를 보유한 환자의 경우 아밀로이드 관련 발병률이 훨씬 더 높게 나타났다. FDA가 관련 부작용을 알리는 경고 라벨을 부착하는 조건을 단 것도 이 때문이다. 1

년 투약에 2만 6500 달러(3600만 원)나 드는 비싼 약값과 초기 환자에게만 효과가 있다는 점은 한계로 꼽힌다.

다음으로 FDA의 승인이 유력한 알츠하이머 치료제는 일라이 릴리의 아밀로이드 베타 표적 치료제인 도나네맙Donanemab이다. 신속 심사 과정에서 보완 요구를 받아, 현재 임상 3상 결과를 토대로 정식 승인 절차를 밟고 있다. 2023년 5월에 발표한 임상 3상 결과는 일단 레켐비보다 뛰어났다. 통합 알츠하이머 평가 척도(iADRS)로 일상생활 수행 기능을 평가한 결과 18개월 차 투약군의 병변 진행이 위약군 대비 35퍼센트 지연됐고, 치매임상평가척도 박스총점(CDR-SB)에서도 인지 및 기능 저하가 36퍼센트 감소했다.

흥미로운 건 도나네맙이 경증 인지 장애 환자군, 75세 미만의 환자에게서 보다 좋은 치료 효과를 나타냈다는 점이다. 이는 질환의 정도가 특정 임계치를 넘기 전에 빨리 치료를 시작해야 한다는 알츠하이머의 중요한 특성을 또 한 번 알려준다.

레켐비의 승인에 후발 주자인 도나네맙까지 등장하면서 알츠하이머 치료제 시장이 본격적으로 개화할 거란 기대도 커졌다. 하지만 현실적인 한계는 여전하다. 특히 치료 대상 환자 선별 기준이 지나치게 엄격한 점은 개선이 필요하다. 다양한 알츠하이머 환자를 포괄하지 못하고 엄격한 조건으로 치료 환자를 제한하는데, 이는 연구 속도를 늦추는 주 요인 중 하나다.

뇌부종이나 뇌출혈의 위험 즉, 안전성 문제도 꼭 풀어야 할 숙제다. 무엇보다 레켐비와 도나네맙은 알츠하이머를 개선하거나 역전시키는 치료제가 아니라 질병의 악화 커브를 보다 완만하게 하는 정도라는 점을 분명히 알아야 한다. 좀 더 도전적인 목표를 설정할 필요가 있다.

아밀로이드와 함께 쌍벽을 이루는 알츠하이머 연구의 또 다른 바이오마커(단백질 등 체내 변화를 알아내는 여러 지표)는 타우 단백질이다. 알츠하이머 환자의 뇌척수액을 분석해 보면 타우 단백질의 농도가 정상인 대비 세 배 가까이 높다. 알츠하이머를 진단할 때 중요한 바이오마커로 사용하는 이유다.

다음 숙제, 타우 단백질

타우는 신경 세포의 미세 소관 다발을 안정화하는 결합 단백질이다. 이 타우가 과인산화(단백질에 인산이 과도하게 붙은 상태)로 인해 결합 능력을 상실하고 떨어져 나가는 게 문제다. 알츠하이머에 있어 타우가 어떤 역할을 하는지 아직 명확하게 밝혀지지 않았지만, 결합 능력을 상실한 타우가 서로 엉켜 신경 섬유 덩어리를 형성하는 게 알츠하이머를 유발한다는 것으로 추정하고 있다.

타우는 세포에 존재하는 리소좀과 UPS(유비퀴틴 프로테아좀 시스템)를 통해 분해된다고 알려져 있다. 과도하게 생산된 비정상적 타우를 이들이 제대로 제거하지 못하면 신경 세포 독성을 야기한다. 아밀로이드 베타 단백질이든, 타우 단백질이든 응집이 신경 독성의 원인으로 작용하는 셈이다.

최근 국내 한 대학 연구진은 타우 단백질의 절단으로 생성된 신경 독성 물질이 정상적인 타우 단백질까지 신경 독성 물질로 전환시킨다는 동물 실험 결과를 발표했다. 실험 동물의 뇌에 타우 덩어리를 주입하면 뇌의 다른 영역으로 확산하는 현상을 보이는데, 이는 절단된 신경 독성 단백질이 응집을 유도한다는 걸 의미한다.

미국의 한 대학에선 변형된 타우 덩어리가 '소교세포(microglia·중추 신경계에서 면역 기능을 담당하는 세포)'의 염증 경로를 촉진해 타우 덩어리를 확산시킨다는 결과를 내놓기도 했다. 타우 덩어리가 신경 퇴행을 일으키는 메커니즘을 규명하려는 시도였는데 과잉 활성화된 소교세포를 안정화한다면 인지 및 기억 결함 진행을 억제할 가능성이 있음을 제시한 연구다.

최근엔 아밀로이드 베타와 타우의 관계를 밝혀 보다 근본적인 치료법을 개발하려는 움직임도 나타나고 있다. 아밀로이드 베타의 증가가 병적인 타우의 확산에 영향을 미친다는 가설이 점차 지지를 받으면서다. 두 변이 단백질을 기준으로 하위 유형별로 환자를 분류해 서로 간의 복합적인 관계를 깊게 이해하려는 시도다. 이에 따라 앞으로의 연구 흐름은 아밀로이드 베타와 타우가 각자의 가설을 입증하는 동시에 두 타깃의 상호 관계를 밝히는 정밀 의학으로 발전해 갈 전망이다.

알츠하이머는 치료만큼이나 조기 진단이 중요하다. 현재 연구 중인 치료제는 대부분 초기 알츠하이머 환자를 대상으로 한다. 이유는 간단하다. 치료 효과가 높기 때문이다. 간단한 진단법으로 초기에 병을 발견할 수만 있다면 심각한 환자를 많이 줄일 수 있다.

최근 스웨덴의 한 연구진은 타우 양전자 단층 촬영(PET)이 아밀로이드 PET나 자기 공명 영상(MRI)보다 초기 알츠하이머 예측 효과가 더 높다는 결과를 발표했다. 일라이 릴리의 도나네맙 임상 3상에서도 환자를 PET로 타우를 정량화해 분류했다. 타우 단백질이 유용한 예측 도구라는 의미다.

2023년 7월 열린 알츠하이머협회 국제콘퍼런스(AAIC)에서는 알츠하이머 국제협회(IAA)와 미국 국립노화연구소(NIA)가 새로운 진단법을 제시했다. 알츠하이머와 관련된 신경 교섬유 산성 단백질, 인산화된 타우를 EDTA라는 항응고제 혈장과 비교해 최대 85퍼센트의 환자를 식별하는 검사법이다. 간단한 혈액 검사이기 때문에 기존의 뇌척수액 분석이나 PET 스캔 방식과 비교해 시간과 비용을 크게 줄일 수 있다.

알츠하이머 치료제는 글로벌 제약사도 소위 '물을 먹는' 장벽 높은 시장이다. 국내 바이오테크 역시 일부 도전장을 내밀었지만, 아직 뚜렷한 성과는 없다. 미국에서 알츠하이머 치료제 'AR1001'의 임상 3상을 진행 중인 아리바이오가 가장 앞서 있다. 미국 전역 75개 치매 임상 센터에서 유효성과 안전성을 검증하고 있는데, 최초의 경구용 치료제라는 점에서 의미가 더 크다.

가장 슬픈 질병을 치료하려는 시도의 결과는 현재까진 슬프다. 확실한 치료 효과를 기대할 만한 치료제가 없기 때문이다. 시판 중인 약도 질병의 속도를 늦추는 데 그치고 있다. 진행을 멈추고 더 나아가 역전시킬 치료제를 개발하려면 발병 원인에 대한 보다 근본적인 연구가 필요하다. 최근 부쩍 활발해진 줄기세포 유래 '뇌 오가노이드'(미니 브레인이라 불리는 유사 장기) 연구는 알츠하이머 치료제 개발에도 다양한 아이디어를 제공할 전망이다.

2023년 AAIC에서는 유전자 편집 기술인 크리스퍼 유전자 가위를 접목한 알츠하이머 관련 연구 결과도 발표됐다.

질병의 유발과 발생 위험을 높이는 단백질의 유전자를 유전자 가위로 제거해 신경계의 기능을 개선한 동물 실험 결과다. 이 역시 새로운 접근법이 될 수 있다. 잃어버린 기억을 되돌리는 여정은 험하겠지만, 언제나 그랬듯 인류는 조금씩 정답을 향해 가고 있다.

메디컬 에스테틱 ; 인류 불변의 욕망

인간의 욕망이 만드는 시장

1급 생화학 무기 보톡스(Botulinum toxin·보툴리눔 톡신)는 독성을 가진 단백질이다. 신경 전달 물질을 차단해 근육 세포의 활동을 무력화한다. 사람을 죽일 수 있는 강한 독성을 가졌지만, 적당량을 쓰면 치료 물질로 변신한다. 1988년 미국 제약사 앨러간Allergan이 앨런 스콧 박사로부터 보톡스 판매 권리를 사들인 뒤 치료에 활용한 게 시작점이다. 처음 쓴 건 안과였다. 눈 근육에 이상이 생기는 사시斜視와 눈꺼풀 경련 환자에게 주입했는데 탁월한 효과를 나타냈다.

진짜 '대박'은 주름 개선 효과였다. 안면 근육에 이상이 생긴 환자에게 보톡스를 주입했더니 주름이 펴졌다. 근처 근육이 마비돼 의외의 효과가 나타난 것이다. 효능과 안전성을 확인한 미국 식품의약국은 2002년 피부 주름 개선제로 보톡스를 처음 승인했다. 미용 치료 시장이 본격적으로 개화하는 신호탄이었다.

'메디컬 에스테틱medical aesthetic'은 피부 질환 환자 등에게 전문적인 처방과 치료를 하거나 화장품을 이용해 효과적으로 관리하는 걸 통칭한다. 쉽게 말해 의학적 치료와 스킨 케어를 함께 이르는 개념이다. 전문의가 상담과 검사를 통해 환자의 피부 상태를 진단한 뒤 의료 기기를 이용해 치료와 스킨 케어를 병행하는 과정을 거친다.

메디컬 에스테틱 시장이 구조적으로 성장한 데에는 크게 두 가지 이유가 있다. 첫째로는 '안티에이징anti-aging' 욕구다. 나이가 들면서 피부 세포의 기능이 떨어지는 건 자연스러운 일이지만, 노화한 피부를 되돌리고 싶은 의지 또한 강해진다. 전 세계적으로 고령 인구가 폭발적으로 증가하면서 탄탄한 수요층이 형성됐다.

의료 기기의 발달로 치료 효과가 좋아지고, 침습적 시술(주사나 각종 관 삽입 등 신체의 관통이나 절개가 필요한 치료법)을 최소화하려는 노력을 통해 회복 시간을 단축할 수 있었다. 덕분에 환자의 부담도 줄었다. 치료 효과를 극대화하기 위해 두 가지 치료법을 패키지로 묶은 복합 시술이 주목받는 건 최근의 변화로 꼽을 수 있다.

피부 노화는 크게 내인적 노화와 외인적 노화로 구분한다. 전자는 나이, 후자는 자외선 같은 외부 환경이 주요인이다. 내인적 노화는 콜라겐 등이 감소해 표피는 물론 진피층(표피 아래 두꺼운 세포층으로 피부의 탄력과 윤기를 결정)이 얇아지고 세포 분열 능력이 저하되는 게 특징이다. 이와 달리 자외선에 피부가 노출되며 콜라겐과 엘라스틴이 손상돼 주름이 늘고, 기미와 주근깨가 생기는 걸 외인성 노화로 본다. 피부 표면이 거칠어지고 피부 조직이 늘어지는 게 대표적인 증상이다.

일단 손상된 피부는 약물이나 치료 기기, 화학적 필링(chemical peeling), 에스테틱 시술 등을 통해 접근해야 한다. 최근의 큰 관심사는 의료 기기 발전과 에스테틱 시술이다. 피부 미용 치료 기기는 에너지원별로 크게 레이저Laser, 초음파기기(HIFU), 고주파 발생기(RF) 등으로 분류할 수 있다.

춘추 전국 시대, 레이저

원래 레이저는 빛의 증폭이라는 물리적인 현상 자체를 말하지만, 현장에선 이를 이용해 만든 단파장 레이저 빔beam을 주로 의미한다. 광원에서 방출된 빛을 매질(기체·액체·고체 등 어떤 파동 또는 물리적 작용을 다른 곳으로 옮겨 주는 매개물)을 이용해 증폭시킨 뒤 파장과 출력에 따라 다양한 용도로 쓴다고 이해하면 된다. 1960년 미국 물리학자 시어도어 메이먼이 루비 레이저를 환자 치료에 쓴 게 첫 도전이었는데 이후 안과와 피부과를 중심으로 널리 사용하게 됐다.

초창기엔 레이저를 모든 걸 고치는 만병통치약으로 받아들이는 분위기가 있었고, 이를 이용해 환자와 그 가족을 울리는 사기 범죄도 잦았다고 한다. 효과를 부풀리는 것인데 레이저가 각종 피부 질환 치료에 획기적인 전기를 마련한 건 사실이지만 한계는 분명하다. 특히 의료용 레이저는 산업용보다 출력이 낮고, 적용 대상도 인체 내 조직이다. 각 조직에 있는 수분이나 지방·색소 등에 따라 흡수 정도가 다르기 때문에 그 효과나 부작용을 꼼꼼히 따져야 한다.

엄밀히 단일 파장은 아니지만 다파장의 빛을 이용하는 IPL(Intense Pulsed Light)도 빛 에너지를 이용한다는 점에서 레이저와 같은 범주로 본다. 초음파나 고주파보다 가격이 저렴하고, 별도의 소모품도 필요 없다. 하나의 기기로 흉터나 여드름, 색소 침착, 문신 제거 등 다양한 질환에 대응하는 것도 장점이다. 레이저가 모든 병원에서 없어서는 안 될 기기로 자리 잡은 이유다.

레이저 빛이 조직에 닿을 때 조직에서 빛을 흡수하는 물질을 발색단(chromophore)이라고 하는데 멜라닌 색소나 혈색소, 기미 등이 여기에 해당한다. 각 발색단은 특정한 흡수 파장을 갖고 있어 이를 이용하면 맞춤형 치료를 시도해 볼 수 있다. 최근엔 이런 아이디어를 구체화한 기기도 속속 개발되고 있다.

대표적인 국내 레이저 기기 제조 업체로는 루트로닉이 있다. 1997년 설립한 국내 1세대 레이저 업체로 이미 미국과 유럽 시장에 진출해 1000억 원대 매출을 올리고 있다. 대표 제품인 클라리티2를 비롯해 할리우드 스펙트라, 더마V 등 다양한 제품군을 갖추고 있다. 수술용 레이저 강자인 원텍도 최근 성장세가 가파른데 동남아시아 지역을 집중적으로 공략하고 있다.

고주파 기기는 30~50만 헤르츠Hz의 전류를 이용해 피부 심층부에 열을 발생시키는 방식이다. 피부 미용 업계에서 자주 쓰는 써마지thermage가 바로 고주파 시술을 뜻하는데, 가장 대표적인 고주파 치료 기기인 솔타메디칼의 제품 이름과도 같다.

주 효능은 피부 탄력 강화와 주름 개선이다. 레이저와 달리 국소 부위를 공략하기 때문에 표피 손상이 적은 게 장점이다. 고주파 기기는 전극 구조에 따라 모노폴라(Monopolar · 단극), 바이폴라(Bipolar · 양극)로 구분하는데 원텍의 올리지오가 대표적인 모노폴라 방식이다. 모노폴라는 비非침습 방식, 바이폴라는 미세 침을 이용한 최소 침습 방식이다.

반면, 초음파 기기는 사람이 들을 수 없는 20킬로헤르츠kHz 이상의 음파를 열로 전환한 뒤 피부 속 근막층(SMAS)에

쏘는 방식이다. 고주파처럼 다른 조직을 손상하지 않고 지방 세포만 공략할 수 있어서 통증이 적고 회복도 빠르다. 복부나 옆구리 허벅지 등 지방이 많은 부위의 체외 충격파 치료나 지방 세포 파괴술에 사용한다. 초음파로 안면 피부 표면 아래에 열에너지를 전달하면 작은 열 응고가 생기는데 이로 인해 피부의 탄력이 증가하고, 콜라겐과 엘라스틴이 합성된다.

이런 원리를 이용해 주름이나 흉터, 탄력이 저하된 안면 부위를 치료한다. 흔히 말하는 미용 목적의 '리프팅' 시술에 널리 쓰인다. 울쎄라(Merz), 슈링크 유니버스(클래시스), 더블로(하이로닉) 등이 대표적인 제품이다. 아래에 있는 근막층을 자극하는 것이기 때문에 피하 지방층의 지방을 녹인다. 얼굴 근육을 전반적으로 리프팅하는 효과로 주목받는다. 2009년 울쎄라의 출시 이후 널리 상용화됐기 때문에 레이저나 고주파 기기보다 상대적으로 글로벌 보급률이 낮은 편이다.

2012년 초음파 기기 슈링크를 출시한 클래시스는 당시 시장을 압도하던 울쎄라 대비 비용을 5분의 1로 낮추면서 주목 받았던 업체다. 2021년엔 2세대 장비 '슈링크 유니버스'를 선보였는데 점 조사 방식인 슈링크와 달리 선 형태 조사도 가능하게 해 리프팅 효과를 향상했다는 평가다. 지방이 많은 부위의 치료 효과를 높이면서 시술 속도도 약 두 배 이상 빨라졌다.

고주파와 초음파 둘 다 핵심 목표는 리프팅과 주름 개선이다. 고주파는 진피층을 자극해 콜라겐의 수축과 생성을 유도하고, 초음파는 탄력이 저하된 피부를 수축시켜 끌어올리는 방식이다. 피부 침투도와 치료 효과도 차이가 있다. 그래서 최근에는 두 시술을 패키지로 묶어 피부 겉과 속을 동시에 노리는 시술이 인기를 끈다.

이제는 이미 일상이 된 보톡스와 필러

신체의 이상이나 피부 조직을 바로잡기 위해 특정 부위를 변형시키거나 형체를 만드는 에스테틱 시술도 날로 성장하고 있다. 보톡스와 필러filler가 대표적이다. 어느새 미용 치료의 대명사가 된 보톡스 시장은 2019년 기준 51억 달러(7조 원) 규모로 커졌다. 이후에도 매년 약 13퍼센트씩 성장해 2025년엔 107억 달러(14조 5000억 원)로 확대될 전망이다.

보톡스는 운동 신경과 근육이 만나는 부위에 주입한다. 인체에 유입된 보톡스는 신경 세포 내 근육 수축 작용을 조절하는 아세틸콜린 분비를 억제하고, 신경 자극이 근육에 전달되는 것을 막는다. 신경 전달 물질 억제로 발생한 근육 이완 작용을 이용해 눈가나 미간의 주름을 제거하는 원리다. 일시적으로 근육을 마비시켜 근육의 힘을 약화하고, 이를 통해 약 3~6개월 정도 주름이 줄어든 효과가 지속한다. '단기 주름 치료제'인 셈이다.

최근엔 미용에서 치료로 보톡스의 전장이 넓어지는 중이다. 국내에선 아직 미용 목적의 보톡스가 90퍼센트를 넘어서지만 전 세계적으로는 치료 목적이 53퍼센트를 차지한다. 빅파마 애브비는 보톡스를 상용화한 앨러간을 2021년 인수한 뒤 다한증·편두통 등 적응증 확대에 박차를 가하고 있다. 시장 성장의 키가 미용이 아닌 치료에 있다는 걸 잘 알고 있기 때문이다. 탈모 같은 큰 시장을 선점하려는 업체 간 경쟁도 치열하다.

국내 기업도 빠르게 추격하고 있지만 애브비의 아성엔 아직 못 미친다. 국내 투자자에게 보톡스는 오랜 기간 기회이자 위험 요인으로 작용해 왔다. 대웅제약과 메디톡스, 국내를 대표하는 두 보톡스 제조 업체가 장기간 소송전을 이어 오면서다. 두 회사는 각각의 보톡스 제품 '나보타'와 '메디톡신'의 보툴리눔 균주 출처를 두고 7년 넘게 법적 분쟁을 이어 오고 있다.

갈등은 쉽게 마무리되지 않을 전망이지만 나름의 성장세는 이어 가는 중이다. 대웅제약은 2023년 상반기 보톡스 매출이 전년 동기 대비 11.6퍼센트 증가해 753억 원을 기록했다. 휴젤을 제치고 처음으로 매출 1위에 올라섰다. 구상대로 편두통을 나보타 적응증 중 하나로 인정받는다면 글로벌 진출에 날개를 달 수 있다. 애브비에 이어 두 번째 사례인데, 이후 근 긴장 이상과 외상 후 스트레스장애(PTSD) 등으로 적응증을 다양화할 계획이다.

2022년까지 국내 보톡스 점유율 1위 자리를 지켜 온 휴젤 역시 최근 유럽과 캐나다·인도네시아·호주 등 글로벌 시장 개척에 초점을 맞추고 있다. 보톡스 치료제 레티보의 품목 허가도 신청했는데, 2021년 FDA로부터 보완 요구를 받은 뒤 2년 만의 재도전이다. 국내 보톡스 시장을 개척했던 메디톡스는 7년 만에 신제품 뉴럭스를 내놨다.

피부 미용에 사용하는 필러는 크게 자가 지방 이식, 콜라겐, 히알루론산 유도체(HA필러) 등으로 구분한다. 자가 지방 이식은 주름 제거나 입술 확대 등을 위해 자신의 엉덩이나 복부에서 지방을 채취해 시술 부위에 주입하는 시술이다. 상당한 시간과 비용이 든다. 그러다 1980년대 앨러간이 콜라겐 필러로 FDA 승인을 받으면서 전환점을 맞이한다. 어린 송아지의 피부에서 추출한 뒤 정제한 콜라겐을 피부 함몰 부위의 진피 내에 직접 주사하는 방식이다. 물론 시술 전에 알레르기 반응 테스트를 받아야 한다.

또 한 번 트렌드가 바뀐 건 인체 내의 성분 중 하나인 히알루론산(hyaluronic acid)으로 만든 레스틸렌Restylane이 FDA의 승인을 받은 2003년이다. 20년이 지난 지금 히알루론산 필러는 가장 대중적인 제품이 됐다. 단단한 젤 질감의 탄성을 갖고 있어 진피에 주입되면 주름 개선과 볼륨 회복 등의 작용을 한다. 콜라겐과 달리 피부 반응 검사 없이 사용할 수 있고, 흡수 속도가 빠른 게 장점이다.

휴젤에 따르면 2016년 22억 달러(3조 원)였던 글로벌 필러 시장은 2023년 43억 달러(5조 8000억 원)로 커질 전망이다. 대체로 필러 시술 비용은 보톡스보다 비싸지만 히알루론산 필러의 보급으로 안전성을 확보하면서 빠르게 성장하고 있다. 단점으로 지적된 시술 시 통증도 최근엔 많이 개선됐다는 평가다.

앨러간은 보톡스의 가치를 일찌감치 알아챘다. 이런 앨러간의 안목에 미리 투사한 사람은 큰 성공을 거뒀을 터다. 2019년 애브비는 앨러간 인수를 발표했는데 대금이 630억 달러(당시 환율로 73조 원)에 달했다. 당시 종가 기준 주가에 45퍼센트의 프리미엄이 붙었다. 너무 비싸게 주고 산 것 아니냐는 지적이 나왔지만, 이 투자는 현재로선 성공적이란 평가가 지배적이다.

젊음과 아름다움을 위해 아낌없이 쓰는 경향은 갈수록 거세질 것이다. 외모가 곧 경쟁력이라는 인식에 따라 과감히 지갑을 여는 건 선진국과 개발도상국을 가리지 않는 공통적인 소비 현상이다. 글로벌 트렌드로 자리 잡아 나가는 K-문화의 성장에 따라 K-메디컬 에스테틱도 한층 더 '볼륨 업'될 전망이다. 소위 돈 되는 아이템이 무엇인지 관심 있게 지켜볼 만하다.

마이크로바이옴 ; 장내 미생물의 힘

호주에 서식하는 코알라는 평생 유칼립투스 나뭇잎만 먹고 산다. 아기 코알라에겐 이유식으로 자신의 대변을 먹인다. 유칼립투스 나뭇잎에는 독성이 있는데 아기 코알라의 장내에는 이를 해독할 수 있는 미생물이 없기 때문이다. 엄마 코알라의 대변에는 독소가 제거되고, 잘게 부서진 유칼립투스 나뭇잎과 다량의 장내 미생물이 포함돼 있다. 성장하는 코알라에게 더할 나위 없이 좋은 음식이다. 엄마의 대변으로부터 해독 작용을 하는 미생물을 갖게 된 아기 코알라는 비로소 유일한 먹거리인 유칼립투스 나뭇잎을 스스로 먹을 수 있게 된다.

마이크로바이옴Microbiome은 미생물 군집(Microbiota)과 유전체(Genome)의 합성어다. 동식물, 토양, 바다, 대기 등 모든 환경에 존재하는 미생물 군집과 관련 유전 정보를 뜻하는데 주로 인체 내에 공존하는 각종 미생물의 집단을 가리킨다. 미생물은 우리 몸과 밀접하게 상호 작용하면서 건강에 영향을 주는데 보통은 서로에게 이롭다. 적당량을 섭취하면 인체에 좋은 영향을 미치는 프로바이오틱스(Probiotics · 유산균)가 대표적이다.

특히 인체의 장은 다양한 종류의 미생물이 밀집한 서식지로 인간이 활발한 신진대사와 면역 체계를 유지하는 데 중요한 역할을 담당한다. 장내에는 인체 면역 세포의 약 70퍼센트가 모여 있는데 여기 서식하는 마이크로바이옴의 무게만도 대략 1.5~2킬로그램이다. 뇌보다 무겁다. 미생물과 면역 세포가 함께 모여 있으니 둘 사이에 긴밀한 상호 작용이 일어날 거란 점은 쉽게 예상해 볼 수 있다.

인체는 210여 개의 장기와 2만 3000개의 유전자, 그리고 수십조 개의 세포로 이뤄져 있다. 그런데 인체 속에 분포한 마이크로바이옴은 1000여 종이 넘고, 200만 개 이상의 유전자와 30조 개 이상의 유전자가 모여 하나의 생태계를 형성한다. 종의 다양성과 유전자 수 측면에선 마이크로바이옴이 우리 인체를 압도하는 것이다.

하지만 미생물이 인체의 면역 시스템에 어떤 방식으로 기능하고 영향을 미치는지에 대해선 정보량이 워낙 방대해 파악하기 쉽지 않다. 조금씩 연관성을 밝혀 내고 있지만 아직은 더 많은 연구가 필요하다. 미생물의 영향도 중요하지만, 거꾸로 유전자 변이 등의 요인이 미생물의 생존에 영향을 미칠 수도 있다. 이것이 장내 미생물 군집의 환경 변화를 불러오고, 질병을 일으킬 가능성도 있다는 의미다. 바꿔 말해 변화된 장내 미생물 집단을 정상화하면 질병 치료가 가능하다.

마이크로바이옴 활용 분야는 헬스 케어·화장품·식품 등 다양하지만 가장 큰 관심사는 아무래도 마이크로바이옴 치료제다. 뚜렷한 방향성에도 연구 개발은 더딜 수밖에 없었는데, 차세대 염기 서열 분석법(NGS)이 개발돼 보급된 2010년 전후로 탄력을 받기 시작했다. 미생물 유전체 서열이 밝혀져 다양한 미생물의 종과 아류가 분류됐고, 이들이 인체 면역 체계와 어떻게 교류하는지에 대한 연구에 속도가 붙었다.

또한 공생 미생물 균주의 유전자 서열 정보가 축적되며, 다양한 균주를 대상으로 한 실험이 가능해졌다. 이 덕분에 2006년 262건에 불과했던 전 세계 마이크로바이옴 관련 특허 건수는 2016년 2만 1000건으로 급증했다.

이런 과정에서 장내 미생물이 분비하는 특정 성분이 수지상 세포 같은 면역 세포에 영향을 주고, 이것이 인체의 항상성을 유지하는 역할을 한다는 사실이 밝혀졌다. 장 상피층에 도달한 수지상 세포는 상피층 세포 사이를 뚫고 자신의 돌기를 장내로 뻗는다. 그를 통해 다당류와 같은 미생물 대사의 산물을 감지한다. 이 정보를 이용해 T세포 등 후천적 면역 세포의 학습과 분화를 유도하고, 결과적으로 인체를 보호하는 방식이다.

면역 체계는 거꾸로 장내 미생물에 영향을 미치기도 한

다. 장내의 면역 세포인 B세포에서 분비되는 특정 항체와 펩타이드는 미생물의 기능과 구조를 바꾼다. 항체가 미생물 집단의 균형을 조절하고, 안정적인 장내 미생물 환경을 만드는 데 기여하는 셈이다. 이런 안정적인 미생물 환경과 면역 세포의 왕성한 활동이 선순환해야 인체가 건강을 유지한다.

초창기 NGS를 이용한 마이크로바이옴 연구는 몸에 유익한 미생물을 찾는 것에 집중했다. 최근에는 미생물 집단의 분포 변화를 밝혀내고, 이를 질병 치료에 이용하는 방향으로 진화하고 있다. 또한 초반에는 미생물이 가장 많이 서식하는 장내 미생물 연구가 주를 이뤘지만, 지금은 간·심혈관·혈액 등으로 확장하고 있다.

정상인과 환자의 미생물 집단 구성을 비교했을 때 어느 쪽이 우세한지 혹은 어떤 미생물이 높은 분포를 보이는지 발견하는 게 핵심이다. 정상인보다 유독 환자에게서 특정 미생물의 움직임이 활발하다면 그를 타깃으로 한 치료제를 개발할 수 있다.

실제로 장내 미생물 집단이 염증이나 DNA 손상을 조절하고, 다양한 대사 산물을 분비해 암 진행을 늦춘다는 연구 결과가 발표됐다. 예컨대 대장암 환자의 경우 정상인과 다른 장내 미생물 불균형이 관찰된다. 유익종은 적고, 유해종은 다수 발견되는 것이다. 이러한 불균형은 정상적인 면역 체계의 균열을 야기한다. 현재 임상 2상 이후 단계에 있는 90개의 마이크로바이옴 치료제 파이프라인을 보면 감염증이 26퍼센트, 위장관 질환이 18퍼센트로 높다. 암이나 피부 질환은 각각 10퍼센트의 비중을 차지한다.

장내 마이크로바이옴이 신경 전달 물질을 조절해 뇌 신경계에 영향을 미친다는 연구 결과도 있다. 마이크로바이옴-장뇌축 이론(MicroBIOME-gut-brain axis·MGBA)이다. 이 연구를 통해 장내에 서식하는 마이크로바이옴이 치매나 우울증 치료에 도움을 줄 수 있다는 게 밝혀졌다. 난공불락이었던 각종 뇌 질환에 새로운 접근법을 제시했다는 점에서 의미가 크다.

최근에는 유럽연합이 진행한 프로젝트를 통해 'NLRP6 인플라마좀'이라는 면역 세포와 미생물 신호 전달 센서의 상호 작용이 장내 미생물 환경 조성에 큰 영향을 미친다는 사실도 새로 밝혀졌다. 장내 면역 세포의 특정 센서를 매개로 한 숙주와 미생물 간 상호 작용을 잘 보여 주는 연구 결과다. 치료제 개발을 위해서는 장내 미생물과 인체의 정보 전달 방식을 이해하고, 항상성에 균열을 초래하는 원인을 명확히 규명하는 게 매우 중요하다.

바이오 시장 조사 업체 이밸류에이트 파마Evaluate Pharma는 2022년 200만 달러 수준에 불과했던 마이크로바이옴 의약품 시장 규모가 2028년 17억 7100만 달러(2조 4000억 원) 규모로 성장할 것으로 예상한다. 아직 개화 단계인 만큼 조사 기관에 따라 예측 편차도 큰 편인데 치료제 승인 여부가 시장 성장 속도에 큰 영향을 미칠 전망이다.

파이프라인이 늘고, 개발에 뛰어드는 바이오테크도 급증하고 있지만 현재까지 미국 식품의약국 최종 문턱을 넘어선 신약은 두 개뿐이다. 2022년 11월 스위스 페링 파마슈티컬스가 개발한 클로스트리디움 디피실 감염증(CDI) 치료제 리바이오타Rebyota가 첫 번째다. CDI 세균은 심한 설사와 대장염 등을 유발한다. 국내에는 환자가 드물지만, 미국에서는 연간 16만 명 이상의 환자가 발생하고 매년 2만 명 이상이 사망하는 것으로 알려져 있다. 재발률이 높아 위험성이 큰 질병으로 분류된다. 리바이오타는 건강한 기증자의 대변으로 만든 치료제다.

이어 2023년 4월 나스닥 상장사인 세레스Seres가 같은 CDI 치료제로 두 번째 승인을 받았다. 좌약 방식인 리바이오타와 달리 세레스의 보우스트Vowst는 경구제 형태다. 보우스트는 임상 3상의 1차 유효성 평가 지표인 CDI 재발률을 위약(41퍼센트) 대비 훨씬 뛰어난 11퍼센트로 낮춰 효과를 입증했다.

다만 지금까지 허가된 마이크로바이옴 치료제는 어떤

기전으로 치료 효과가 나타나는지 명확하게 밝혀지지 않았다. 치료 물질의 작용 기전이 명확하지 않다는 건 약물의 유효성 확보가 쉽지 않다는 의미다. 신약을 승인하는 규제 기관으로서도 부담스러운 일이다. 현재 임상을 진행 중인 여러 마이크로바이옴 치료 물질이 효능 입증에 어려움을 겪는 것도 이와 관련이 있다.

마이크로바이옴 치료제가 난치병 치료의 새로운 대안이 되리란 건 분명해 보인다. 하지만 지금까지는 바이오의 무덤에 가까웠다. 사례를 보면 어두운 면이 더 클 수도 있다. 마이크로바이옴 신약을 개발하던 다수의 바이오테크가 임상에서 실패했고, 기술 이전된 후보 물질도 여럿 반환됐다. 이 분야 선두 주자였던 4D파마와 칼레이도는 나스닥에서 상장 폐지됐다. CDI 타깃으로는 후발 주자인 페링과 세레스가 좋은 모습을 보이지만 그 외 적응증의 벽은 높은 게 사실이다.

다른 신약 영역도 비슷하지만 마이크로바이옴은 특히 R&D 초기 단계다. 자금력의 한계와 부족한 임상 경험, 상업화 확률 등을 고려하면 기술 수출이 가장 현실적인 방법이다. 기술 수출 가능성을 높이려면 물질이 정확히 어떤 원리로 작용하는지 규명하는 게 필수적이다.

줄기세포 ; 놓칠 수 없는 시장

2019년 일본 국립세이이쿠의료연구센터는 배아 줄기세포를 간세포로 만들어 요소회로 이상증을 앓고 있는 신생아에게 임시로 이식하는 시험을 했다. 이 병은 요소 관련 효소가 부족해 고암모니아혈증과 중추 신경계 독성이 나타난다. 간 이식으로 치료할 수 있지만, 신생아의 경우 체중 6킬로그램이 될 때까지 이식이 불가능하다. 시간을 벌어야 하는 셈이다.

세이이쿠연구센터는 생후 6일째에 배아 줄기세포로부터 분화된 1억 9000만 개의 간세포를 이식해 신생아의 생명을 유지한 뒤 아버지의 간 일부를 이식하는 데 성공했다. 줄기세포 치료제가 무엇인지, 왜 필요한지 잘 설명해 주는 임상 사례다.

식물이 싹을 틔워 뿌리와 줄기의 형태를 갖추고 나면 줄기는 또 다른 줄기와 가지, 그리고 잎으로 변화하며 성장한다. 인간도 이와 유사한 과정을 거쳐 하나의 개체로 완성된다. 성장한 뒤에도 마찬가지다. 상처 입거나 정해진 수명을 다하고 죽은 세포를 대신할 다양한 종류의 세포를 만들고 교체한다.

이렇게 인간이 하나의 수정란에서 출발해 생명을 유지하는 과정에서 다양한 세포로 분화하는 미분화 상태의 세포를 줄기세포라고 한다. 어릴 적 뛰어놀다 다친 상처가 감쪽같이 나았던 것은 우리 몸에 존재하는 줄기세포가 스스로 복구하는 능력을 갖추고 있기 때문이다.

우리 몸은 약 210가지 종류의 세포로 이뤄져 있는데, 이들은 한 개의 세포에서 분화한 세포다. 수정된 세포는 난할(세포의 분할)을 거듭해 속이 비어 있는 공 모양의 배반포를 형성한다. 그 안에는 액체와 아기로 성장할 세포인 내부 세포 덩어리가 들어 있다. 세포는 또 분열과 분화를 거듭하고, 8주가 지나면 태아라는 이름을 갖게 된다. 최종적으로는 210여 가지 세포로 분화해 하나의 개체를 이루게 된다. 이 배반포의 내부 세포 덩어리로부터 만든 줄기세포가 바로 '배아(신체 조직이 만들어지기 시작되는 태아의 전 단계) 줄기세포'다.

그러면 줄기세포는 어떤 공통적인 특징을 갖추고 있을까. 먼저 줄기세포라 칭하려면 자가 재생 능력이 있어야 한다. 세포의 생김새는 물론 기능도 같은 딸세포(세포가 분열해 새로 생긴 세포)를 생산할 수 있다는 뜻이다. 줄기세포는 종류에 따라 자가 재생 능력에 차이를 보인다. 배아와 임신 8~12주에 유산된 태아에서 추출한 배아 줄기세포를 적절한 조건으로 배양하면 무한대로 증식한다. 반면 뒤에서 설명할 성체 줄기세포는 10계대 정도까지만 분열할 수 있어 증식에 한계가 있다.

줄기세포의 두 번째 특징은 분화 능력이다. 배반포의

내부 세포 덩어리가 다양한 세포로 분화해 우리 몸의 조직과 기관을 형성하듯, 줄기세포는 그 자체로 직접 기능하지 않고 다른 세포로 분화한 뒤 기능한다. 예를 들어 줄기세포가 외부로부터 침범한 바이러스를 직접 공격해 죽이거나 수명이 다한 혈관의 내피 세포를 대체할 수는 없다. 줄기세포가 특정한 기능을 하기 위해선 그 기능을 갖는 세포로 먼저 분화해야 한다는 뜻이다.

어떻게 보면 줄기세포는 무한히 발행되는 화폐와 같다. 화폐는 그 자체로 기능하지 못한다. 배고프다고 돈을 먹을 수는 없기 때문이다. 돈으로 야채나 고기 등 식재료를 사고, 최종적으로 음식으로 만들어야 먹을 수 있다. 돈으로 물건도 사고 여행도 간다. 이처럼 줄기세포는 그 자체로 기능하지 않지만 다양한 세포로 분화해 곳곳에서 일한다.

대표적인 줄기세포인 조혈 모세포는 산소를 실어 나르는 적혈구, 암이나 바이러스를 공격하는 림프구, 그리고 식균 작용을 하는 백혈구 등으로 분화해 일하게 된다. 만일 줄기세포가 분화하는 능력이 없다면 갑작스러운 상처에 대응할 수도 없고, 수명이 다한 세포를 교체하는 것도 불가능하다.

이러한 줄기세포의 분화 능력은 다시 만능성과 다능성 등으로 구분한다. 만능성이란 몸을 이루는 모든 세포로 분화가 가능한 능력을 뜻한다. 앞에서 설명한 배반포 내부 세포 덩어리에서 수립된 줄기세포가 만능성을 지니고 있다. 이렇게 만능성을 지닌 걸 만능 줄기세포라 한다.

만능성을 지닌 배아 줄기세포를 얻는 방법을 간략히 살펴보자. 먼저 시험관 아기를 만들기 위해 채취한 뒤 사용하지 않은 난자를 기증받아야만 연구가 가능하다. 기증된 난자를 인공 수정해 배반포가 만들어지면 안쪽의 내부 세포 덩어리에서 배아 줄기세포를 분리한 뒤 성장을 돕는 다른 세포층 위에서 배양한다.

이때 배아 줄기세포가 다른 세포로 분화되는 것을 막는 용액을 넣어 준다. 수가 늘어난 복제 배아 줄기세포를 다시 접시에 나눠 같은 과정을 반복하면 원하는 양의 배아 줄기세포를 생산할 수 있다. 이렇게 만들어진 배아 줄기세포를 냉동 보관했다가 원하는 여러 조직으로 분화시켜 치료 목적으로 사용한다. 그러나 배아 줄기세포는 인간으로 성장할 수 있는 난자로부터 만들어진다는 점에서 항상 윤리적인 문제가 뒤따른다.

다능성 줄기세포는 두 가지 이상의 최종 세포로 분화가 가능한 걸 말한다. 신체의 여러 적소(謫所·줄기세포가 그 기능을 유지하도록 돕는 특정 미세 환경)에 분포하다가 각 조직에 필요한 세포로 분화해 기능한다. 성체 줄기세포가 다능성 줄기세포의 특징을 갖고 있다. 골수에서 발견되는 조혈 모세포는 적혈구·백혈구·림프구 등 여러 혈구 세포로 분화하는 대표적인 성체 줄기세포다. 성체 줄기세포는 적소에 대기하다가 기존 세포에 치명적 문제가 발생했을 때 그 기능을 대신하게 된다. 배아 줄기세포가 모든 걸 살 수 있는 현금이라면 성체 줄기세포는 상품권과 흡사하다.

골수에 분포하는 세포 중 골세포로 분화하는 중간엽 줄기세포(mesenchymal stem cell)도 성체 줄기세포 중 하나다. 중간엽 줄기세포는 다양한 조직을 연결하는 결합 조직으로 골수·근육·지방·연골·뼈 등에 분포한다. 면역 거부 반응이 없어 활용 범위가 더욱 넓은 것이 특징이다. 무엇보다 성체 줄기세포는 성인의 조직으로부터 얻을 수 있어 배아 줄기세포와 달리 윤리적인 문제에서 벗어나 있다.

제대혈, 즉 아기의 탯줄에도 줄기세포가 들어 있다. 이 제대혈에는 혈액 성분인 백혈구와 혈소판 등을 만드는 조혈모세포와 뼈·연골의 재생이나 신경 세포 조직 재생에 이용하는 중간엽 줄기세포가 다량 포함돼 있다. 탯줄의 의료적 가치가 재발견되면서 아기가 태어난 뒤 제대혈을 냉동 보관했다가 향후 발생할지 모르는 암과 유전병 치료에 대비하는 것도 흔해졌다.

배아 줄기세포는 만능성이라는 장점을 갖고 있지만 윤리적 이슈에서 벗어나기 힘들고, 만능성이 독이 되면 암으로 바뀔 수 있다는 게 불안 요소다. 성체 줄기세포는 이런 문제에선 비교적 자유롭지만 분화 능력이 제한적이라는 한계가 있다.

이런 단점을 보완한 게 바로 유도 만능 줄기세포(iPS Cell)다. 분화가 끝난 체세포(몸을 구성하고 있는 전 세포 중 생식세포를 제외한 세포)를 다시 프로그래밍해 만든다. 만능 줄기세포에서만 발현하는 특정 유전자를 만능성이 없는 체세포에 넣어 만능성이 있는 세포로 만드는 방식이다. 세포 분화의 흐름을 거꾸로 되돌리는 일종의 역분화다.

유도 만능 줄기세포를 만들기 위해 사용하는 네 가지 유전자의 조합은 '야마나카 칵테일'이라고 부른다. 이 방식을 발견한 공로로 노벨 생리의학상을 받은 야마나카 신야 교수의 이름을 딴 것이다. 단순하게 설명하면 성인의 세포에 야마나카 칵테일을 넣어 만능 줄기세포로 역분화를 유도하는 것이다. 이렇게 만든 유도 만능 줄기세포는 형성되는 형태나 유전자 발현 패턴이 만능 줄기세포인 배아 줄기세포와 거의 비슷하다.

약 20년 전 황우석 논문 조작 사건 이후 한국 줄기세포 연구는 암흑기를 거쳤다. 일종의 금기어처럼 여겨지기도 했다. 배아 줄기세포 연구는 크게 위축됐지만 지금도 핵을 제거한 난자에 환자의 핵을 삽입해 안과 질환 치료제를 만드는 연구가 진행되고 있다. 대부분 성체 줄기세포에 초점을 맞추고 있지만, 배아 줄기세포 연구도 명맥은 유지되고 있는 셈이다.

한국과 달리 일본은 유도 만능 줄기세포를 중심으로 연구 속도를 높이고 있다. 다수의 글로벌 바이오테크도 유도 만능 줄기세포를 T세포 치료제나 NK세포 치료제와 같은 다양한 항암 세포 치료제로 활용하려 시도하고 있다. 아직 초기 단계지만 줄기세포의 최대 장점은 근원적인 치료가 가능하다는 점이다. 쉽게 말해 문제가 생기면 새 걸로 바꿀 수 있다. 게임 체인저가 등장할 가능성이 큰 영역이다.

3 바이오의 미래를 만드는 기업들

시장 지배자, 빅파마

바이오의 흐름을 지배하는 기업들

'-3퍼센트'.

헬스케어 셀렉트섹터 XLV ETF(SPDR 상장지수펀드)의 2022년 성적표다. 미국이 인플레이션과의 전쟁 속에서 긴축 고삐를 죄었던 해다. 같은 해 미국 S&P500 지수가 19.4퍼센트 추락한 것과 비교하면 제대로 '선방'했다.

XLV ETF가 대표적인 성장주인 제약·바이오 기업에 투자한다는 점을 고려하면 놀라운 결과다. 시장 금리가 들썩일 땐 성장주는 취약하다. 기업의 미래 가치는 할인율(시장 금리)에 따라 현재 가치로 환산하는데, 금리가 오르면 가만히 있어도 몸값이 떨어지기 때문이다. 더욱이 연구 개발 자금을 외부에서 조달하는 경우가 많은데 금리가 오르면 더 많은 이자를 지불해야 한다. 좋은 실적을 내는 게 어려워진다는 의미다.

하지만 바이오 대형주인 '빅파마(글로벌 제약사)'는 전혀 다른 세상에 산다. XLV의 상위 투자 종목을 살펴보면, 유나이티드헬스(9.8퍼센트), 일라이 릴리(9.0퍼센트), 존슨앤드존슨(7.8퍼센트) 등 세계적으로 손꼽는 제약사다. 바이오라고 하면 신약 개발을 먼저 떠올리게 되지만 이들 빅파마는 대부분 이미 시판 중인 약으로 대규모 매출을 올리고 있다. 예컨대 글로벌 제약사인 화이자의 2022년 매출은 1000억 달러(135조 원)가 넘는다. 한마디로 빅파마의 '빅파워'다.

빅파마를 구분하는 명확한 기준이 있는 건 아니다. 과거엔 주로 1년 동안 지출하는 R&D 규모로 순위를 매겼다. 최근에는 매출액 또는 시가 총액으로 구분한다. 이런 기준으로 상위 10개 기업을 빅파마로 규정하기도 하고, 범위를 20위까지 확대하기도 한다. 매출이나 R&D 규모뿐 아니라 파이프라인의 영향력 등을 복합적으로 따져 봐야 한다.

일단 빅파마라고 할 때 가장 눈에 띄는 지표는 R&D 규모다. 2022년 기준으로 가장 많은 R&D 비용을 지출한 곳은 로슈Roche다. 대략 20조 원(147억 1000만 달러)에 가까운 돈을 투입했다. 그 뒤를 존슨앤드존슨(146억 달러), 머크(135억 5000만 달러), 화이자(114억 3000만 달러) 등이 잇는다. 같은 해 국내 제약 · 바이오 R&D 지출 상위 10개 기업의 총 R&D 규모는 2조 1589억 원(16억 달러)이다. 상위 10개 기업을 합쳐도 로슈의 10퍼센트 정도인 셈이니 체급 차이가 엄청나다.

일반적으로 하나의 신약 개발이 성공하는 데 드는 비용은 2조 원에서 3조 원 정도로 추산한다. 개발 기간도 10년 이상 걸린다. 임상의 최종 관문인 3상은 특히 장벽이 높다. 여러 국가에서 수백, 수천 명의 환자를 대상으로 약물의 안전성과 유효성에 대한 검증 작업을 하는데 보통 수천억 원의 비용이 든다. 그러니 국내 기업 정도의 규모라면 자체 역량으로 3상

하나만 진행해도 회사의 명운을 걸고 프로젝트를 진행해야 한다.

이와 달리 빅파마는 임상 단계별로 수십 개의 파이프라인을 동시 다발적으로 진행한다. 빅파마의 경쟁력이다. 상위 10개 빅파마의 파이프라인은 약 1100개에 달하는데 이중 약 3분의 1은 3상 단계에 진입했다. 아스트라제네카의 파이프라인이 172개로 가장 많고, 로슈(157개), 노바티스(129개) 등이 뒤를 잇는다. 빅파마의 연간 매출 규모는 대략 300억~600억 달러 수준인데 매출액 대비 R&D 지출액이 대략 20퍼센트 전후다. 이러한 재투자 비중 역시 국내 제약·바이오 기업과는 비교하기 어려운 수준이다.

대부분의 빅파마가 천문학적인 R&D 비용을 지출할 수 있는 원천은 그들이 보유한 블록버스터blockbuster 신약에서 찾을 수 있다. 통상 연간 10억 달러(1조 3500억 원) 이상 판매되는 의약품을 블록버스터로 분류한다. 마땅한 치료제가 없거나, 경쟁 약물이 없는 분야에서 다른 기업을 따돌리고 시장을 선점하게 되면 엄청난 규모의 현금 흐름을 지속적으로 발생시킬 수 있다. 블록버스터 신약이 제약사의 '황금알을 낳는 거위'인 셈이다.

머크의 면역 항암제 키트루다와 애브비의 자가 면역 질환 치료제 휴미라가 대표적인 블록버스터다. 면역 항암제 키트루다는 미국 식품의약국의 승인을 받은 지 8년 만인 2022년 209억 달러(28조 원)를 웃도는 매출을 올렸다. 5년 뒤엔 매출이 300억 달러를 넘어설 전망이다. 그러면 2029년부터는 휴미라를 제치고 누적 판매 기준 글로벌 1위 의약품에 오른다.

현재까지 누적 매출액 1위를 기록 중인 휴미라는 2003년 첫선을 보였다. 20년 동안 누적 매출액이 2190억 달러(295조 원)에 이른다. 하나의 신약 물질이 임상 최종 관문을 통과해 상업화에 성공할 확률은 모달리티(Modality · 치료 수단)별로 차이가 있지만 통상 10퍼센트 미만이다. 대부분의 물질이 개발 과정에서 실패한다는 뜻이다. 투입한 자금은 회수할 수 없다. 블록버스터의 존재는 그래서 중요하다. 실패할지 모르는 파이프라인, 동시에 성공 가능성을 가진 프로젝트에 투자할 돈이 있다는 뜻이기 때문이다. 살아남은 자가 모든 것을 획득하는 제약 · 바이오의 냉혹한 속성을 응축한 단어가 바로 블록버스터다.

블록버스터를 포함해 모든 의약품은 특허를 바탕으로 독점 기간(20년)을 인정받는다. 특허 기간이 중요한 건 수십조 원의 현금 흐름을 창출하는 블록버스터도 특허가 만료되면, 저렴한 바이오시밀러(바이오 의약품의 복제약) 출시로 매출이 급격히 감소하기 때문이다. 예컨대 애브비는 휴미라의 바이오시밀러가 본격적으로 출시된 2023년부터 매출 감소세가 나타났다. 애브비의 전체 매출에서 휴미라가 차지하는 비중은 42퍼센트(2021년)에 달했다. 애브비는 수년 전부터 복제약 출시에 대비해 전략을 고심해 왔지만, 아직 확실한 대안은 찾지 못했다.

블록버스터의 출시가 황금알을 낳는 거위(캐시카우)인 건 분명하지만, 황금알을 낳는 기간(특허 기간)은 한정돼 있다는 의미다. 글로벌 제약사 머크 역시 '특허 절벽'을 앞두고 고심이 많다. 머크가 출시한 항암제 키트루다의 특허 기간은 2028년까지다. 최근엔 정맥 주사형인 키트루다를 간편한 피하 주사형 방식으로 바꿔 임상을 진행 중이다. 환자를 더 편리하게 하는 게 목표라고 하지만 실제로 노리는 건 제형 변경을 통한 특허 기간 연장이다.

신약 물질에 대한 특허 기간은 20년이다. 물질 특허를 받은 후 신약 승인까지 평균 10~15년이 걸리니까 실제 독점적으로 판매할 수 있는 기간은 대략 7~8년 정도다. 5년간의 연장을 활용하면 최대 12~13년 정도로 늘릴 수 있다. 개발 기간을 줄이는 게 관건인 셈인데 임상에 성공한 뒤 의약품을 상업화해도 현금을 회수할 기간이 짧아지면 사실상 남는 게 없을 수 있다.

2019년 8월 미국 FDA 승인을 받은 일본 교와 기린Kyowa

Kirin의 파킨슨병 치료제 누리안즈Nourianz는 역사상 가장 오랜 기간 R&D를 진행한 약물로 꼽힌다. 연구 개발에는 총 272개월, 22년 6개월이 소요됐다. 고생 끝에 신약으로 빛은 봤지만, 특허 기간은 만료된 거나 다름없으니 저가 복제약의 공세로 인한 매출 하락이 불가피하다. 이 때문에 각 빅파마는 경쟁 기업의 시장 진입을 늦추고, 수익을 극대화하기 위한 다양한 특허 연장 전략을 취한다.

최근엔 빅파마의 생존 전략도 달라지고 있다. 통상 빅파마는 장래 회사를 먹여살릴 블록버스터를 개발하기 위해 수십 개의 파이프라인을 확보한다. 빅파마의 파이프라인 확보 유형을 살펴보면 2017년 이전엔 내부 개발 비중이 65퍼센트(글로벌데이터 자료)에 달할 정도로 자체 역량에 의존했다. 하지만 2018년 이후 급격히 줄기 시작해 2020년엔 32퍼센트까지 하락했다. 빅파마도 내부 R&D 비중을 줄이고, 인수 합병(M&A)을 통해 외부 기술을 흡수했다는 뜻이다. 효율을 극대화하려는 이른바 '오픈 이노베이션'이다.

이런 변화엔 2010년대 들어 달라진 생명 공학 연구 흐름이 깔렸다. 차세대 염기서열 분석(NGS) 보급과 유전자 가위 발명 등으로 대학 연구소나 바이오 벤처도 적은 자본으로 관련 기술 개발에 도전할 수 있게 된 것이다. 이러한 변화를 간과한 빅파마는 2018년 이후 혁신적인 기술을 보유한 바이오 벤처를 적극적으로 인수하기 시작했다. 부족한 내부 파이프라인을 보강하는 가장 효과적인 방법이었다.

합성 의약품에서 바이오 의약품으로 신약의 중심이 이동하면서 다양한 기술을 융합해야 성공 확률이 높아진 것도 영향을 미쳤다. 바이오 의약품은 효과가 뛰어나고, 부작용이 적어 환자 친화적이다. 하지만 개발 과정은 매우 복잡하고 까다롭다. 인력·자본력을 갖춘 빅파마라도 자체 개발만으로는 급변하는 기술 흐름을 따라잡기 어렵다는 뜻이다. 제약 바이오 업계의 연구 개발 틀이 다양한 기업과 기술을 협업하는 오픈 이노베이션으로 바뀌게 된 배경이다.

빅파마 합종연횡, 오픈 이노베이션

오픈 이노베이션은 이제 확고히 자리를 잡았다. 역사상 가장 활발한 M&A가 이를 입증한다. 2022년 가장 눈길을 끌었던 건 암젠이 호라이즌 테라퓨틱스Horizon Therapeutics를 278억 달러(37조 5000억 원)에 사들인 것이었다. 호라이즌은 갑상선, 안구 질환, 통풍 치료제 등 20개 이상의 파이프라인을 보유한 희귀 질환 분야의 강자다. 희귀 질환의 경우 암 치료제보다는 시장이 작지만, 성공만 하면 가격 경쟁력을 확보할 수 있고, 임상 진행도 빠르다. 빅파마가 M&A 대상으로 선호하는 이유다.

2023년 들어서도 머크가 프로메테우스Prometheus Biosciences를 108억 달러에, 화이자가 씨젠Seagen을 430억 달러에 인수하는 대형 계약 소식이 전해졌다. 코로나19 확산의 최대 수혜자였던 화이자는 백신으로 번 자금을 ADC 관련 기업과 기술에 적극적으로 투자하고 있다.

물론 이러한 빅파마의 M&A 전략을 견제하는 목소리도 있다. 미국 연방거래위원회(FTC)는 암젠의 호라이즌 인수에 대해 경쟁을 저해하는 반시장적 계약이라며 반대 의견을 밝혔고, 이는 암젠과의 소송전으로 확대됐다. 하지만 최근 FTC와 암젠이 화해하면서 제약·바이오 업계 M&A는 다시 활기를 띨 전망이다.

미국 바이든 정부의 인플레이션 감축법(IRA) 제정과 그에 따른 약가 인하 정책은 빅파마를 긴장하게 하는 또 하나의 요인이다. 그동안 미국 정부는 약가 결정에 개입하지 않았는데 IRA에 따라 '메디케어&메디케이드 서비스 센터(CMS)'가 협상권을 갖게 됐다. CMS는 약가 협상 대상 리스트 10개 품목을 발표하고, 최대 공정 가격(Maximum fair price)을 도출한 뒤 2026년 개정된 약가에 적용할 계획이다.

정부의 약가 인하 압박에 빅파마는 소송으로 대응 중이다. 브리스톨-마이어스 스퀴브(BMS)는 매출의 25퍼센트(2022년 기준)를 차지하는 항응고제 엘리퀴스Eliquis가 약가 협상 대상 리스트에 포함되자 강력한 법적 대응을 선언했다. 특허 기간으로 약가를 관리하는 현재 시스템이 존재하는데 추가적인 약가 협상 프로그램이 필요한지는 충분히 논쟁거리다. 법정에서 치열한 다툼이 예상된다.

뱅크오브아메리카(BofA) 글로벌 리서치의 분석에 따르면 1986년부터 2022년까지 37년간 산업별 장기 성장률이 가장 높았던 건 헬스 케어였다. 전 세계적으로 인구 고령화가 빠르게 진행되고 있는 점을 고려하면 제약·바이오 산업은 당분간 높은 성장률을 유지할 게 확실하다. 과점에 대한 비판이 없지 않으나 빅파마는 제약·바이오 산업의 생태계를 지탱하는 거목과도 같다. 대규모 자금을 장기간 투자할 수 있는 능력을 갖췄고, 기술 이전이나 M&A를 통해 신약 R&D를 지원한다. 빅파마의 움직임이 산업의 움직임이라 해도 과언이 아니다.

빅파마의 위상도 수시로 바뀐다. 2023년 급부상한 일라이 릴리가 그 대표적인 예다. 비만 치료제 시장의 게임 체인저로 부상하면서 존슨앤드존슨을 제치고 빅파마 시가 총액 1위(750조 원)에 올라섰다. 당뇨병 치료제이자 비만 치료제 후보 물질인 마운자로에 대한 기대 때문이다.

잘 나가는 빅파마의 주가도 임상 성공 여부와 M&A 등에 따라 출렁이는 경우가 많다. 최근 1년만 봐도 머크·아스트라제네카·사노피 등은 오름세를 보였지만 존슨앤드존슨·화이자 같은 전통의 강자들은 부진했다. 투자자 입장에선 이런 흐름을 주목할 필요가 있다.

바이오 파운드리 No.1을 노리는 한국

바이오 TSMC를 꿈꾸는 삼성바이오로직스

반도체 업계엔 독특한 용어가 있다. '팹리스'다. 반도체 공장을 의미하는 '팹Fab'과 없다는 뜻인 '리스less'의 합성어다. 반도체에는 설계도를 그리는 회사와 제품(반도체)을 만드는 회사가 따로 있는 셈이다. 특성상 제조 공정을 갖추는 데 워낙 큰 비용과 시간이 들기 때문이다. 퀄컴이나 엔비디아 등은 대표적으로 설계에 특화된 회사다. 이들의 주문을 받아 대신 반도체를 만들어주는 게 파운드리(위탁 생산), 여기서 결코 빼놓을 수 없는 회사가 바로 TSMC다.

TSMC의 글로벌 파운드리 점유율은 61퍼센트(2023년 4분기)에 달한다. 전 세계에서 반도체 좀 만들어 달라고 넣는 주문의 절반 이상을 한 회사가 소화한다는 뜻이다. 설계대로 만들 능력이 있고, 약속을 잘 지키고, 가격도 적당하니 일을 맡기지 않을 이유가 없다. '고객과 경쟁하지 않는다'는 사훈을 내세워 혹시 모를 기술 유출 걱정까지 덜어 주니 이만한 을乙도 없다.

이쯤 되면 을의 파워가 어느 정도일지도 짐작할 만하

다. 위탁받은 것이니 계약상으론 을이 분명하지만, 어느 날 '당신네 회사 주문은 받지 않겠다'고 선언이라도 하면 큰일이다. 전자제품은 물론 자동차, 인공지능 등 산업 전반에 걸쳐 생산 차질을 빚을 수 있어서다. TSMC가 글로벌 반도체 기업이 떠받드는 수퍼 갑甲이 된 이유다.

최근 들어 제약·바이오 업계에서도 위탁 생산의 중요성이 커지고 있다. 신약의 무게 중심이 합성 의약품에서 바이오 의약품으로 이동하면서다. 아스피린이나 타이레놀 같은 합성 의약품은 성분과 배합 방식만 정해지면 어렵지 않게 만들 수 있다. 생산 라인이 단순해 공장을 짓는 비용도 상대적으로 덜 든다. 맡길 필요 없이 개발사가 직접 약을 만들어 공급하는 패턴이 주를 이뤘던 이유다.

인체에서 생성된 원료로 만드는 바이오 의약품은 합성 의약품과 비교해 독성이 적고 특정 질환에 대한 맞춤형 치료가 가능한 게 강점이다. 하지만 비싸다. 이유는 간단하다. 만드는 게 쉽지 않기 때문이다. 예컨대 항체 치료제는 특정 항원에 대응해 생성된 항체가 다른 항원에 반응하지 않는 특징을 이용해 만든다. 세포를 배양한 뒤 불필요한 물질을 정제하는 게 제조의 시작인데 공정 내내 난이도가 있다. 살아 있는 재료를 다루기 때문에 모든 과정이 GMP(의약품 제조 및 품질 관리 기준)에 부합해야 하고, 그러려면 대규모 투자를 통해 우수한 제조 시절을 갖춰야 한다.

자체 생산 역량이 부족하거나 신약 연구 개발에 집중하려는 제약사가 바이오 위탁 생산(Contract Manufacturing Organization·CMO) 업체의 문을 두드리는 이유다. 나아가 시장은 위탁 개발 생산(Contract Development and Manufacturing Organization·CDMO)으로 진화하고 있다. CMO뿐만 아니라 후보 물질 개발, 임상 시험, 상용화 준비 등 신약 개발 과정을 위탁하는 개념이다. 경험과 능력을 갖춘 CDMO 업체와 일종의 전략적 제휴를 맺는 셈이다.

글로벌 바이오 시장 조사 기관 이밸류에이트 파마Evaluate Pharma에 따르면 2023년 전 세계 바이오 의약품 시장 규모는 3890억 달러(527조 원)에 달한다. 전체 제약 시장에서 차지하는 비중이 처음으로 30퍼센트를 넘어섰다. 바이오 의약품은 이후에도 연평균 10.1퍼센트의 성장세를 보이며 2030년엔 시장 규모가 올해의 두 배로 커질 전망이다. 지금까지 항체 치료제가 중심 역할을 했다면 앞으로는 세포·유전자 치료제의 비중이 빠르게 커질 전망이다.

사실 CDMO를 둘러싼 최근의 움직임은 한 회사의 성장사를 복기해 보면 쉽게 이해할 수 있다. 국내 바이오 의약품 위탁 생산 업체인 삼성바이오로직스다. 설립은 2011년, 상장은 2016년이니 주요 상장사와 비교하면 신생 업체나 마찬가지다. 그러나 단 7년 만에 코스피 시가 총액 순위 4위에 올라섰다. 상장 당시 공모가(13만 6000원)가 비싸다는 논란이 있었는데 2021년 8월 보란 듯이 100만 원 고지에 올라서기도 했다. 이제 회사의 가치를 의심하는 시각은 거의 없다. 매년 폭발적인 성장세를 보여줬고, 앞으로도 지배력을 키워갈 게 분명해서다.

삼성이 고故 이건희 회장의 지시로 바이오를 신수종 사업 중 하나로 꼽은 건 그리 특별할 게 없다. 진짜 놀라운 건 애초에 신약 개발이 아닌 CDMO로 방향을 정했다는 점이다. 삼성바이오로직스는 고객도 없이 공장부터 지었다. 아무런 전력도 없는 회사에 "우리 약을 만들어 달라"고 제안할 제약사도 없었지만, 하나둘 포트폴리오를 쌓아 가며 버텼다. 그 와중에 공장은 계속 증설했다. 바이오 의약품 시장은 성장할 게 분명하고, CDMO의 시간이 반드시 올 거라 판단했기 때문이다.

남다른 안목과 삼성 특유의 패스트 팔로어 전략은 제대로 먹혔다. 상장하던 2016년 삼성바이오로직스의 매출은 3000억 원도 안 됐다. 하지만 2022년엔 3조 원을 돌파했다. 매출 3조원을 돌파한 건 국내 바이오 업체 중 처음이다. 더 놀라운 건 영업 이익이었다. 3조 원어치를 팔고, 약 1조 원을 남겼다. 일감만 있으면 쉽게 돈 버는 구조란 얘기다.

보통 제약사가 CDMO와 계약을 맺고 바이오 의약품을

생산하려면 기술 이전, 시험 생산, 규제 기관 검증 등의 절차를 거쳐 2년 이상이 걸린다. 그래서 통상 5~10년 단위의 장기 계약이 많다. 이미 삼성바이오로직스는 글로벌 빅파마(대형 제약사) 20곳 중 14곳을 고객으로 확보했다. 최근에도 다국적 제약사 브리스톨-마이어스 스퀴브(BMS)로부터 2억 7064만 달러(3600억 원) 규모의 계약을 따냈다. 2023년엔 사상 처음으로 연간 수주 금액이 3조 원을 넘어섰다.

항체 치료제 CMO 시장은 상당히 견고하다. 기존 항체 의약품의 적응증(치료 효과가 기대되는 병이나 증상) 확대, 알츠하이머·비만 등 신규 항체 의약품의 등장, 항체 기반 새로운 모달리티(ADC, 이중 항체 등) 등장, 빅파마 자체 생산 시설 노후화 등이 요인이다. 삼성바이오로직스는 가격을 낮추며 수주하지 않고 있다. 가격은 중요하지만, 첫 번째 경쟁력이 아니다. 삼성바이오로직스의 수주 경쟁력은 생산 능력과 품질, 납기를 맞추는 생산 속도, 그간의 수주 실적(트랙 레코드)이다.

삼성바이오로직스는 2023년 6월 송도 4공장까지 가동을 시작하면서 총 60만 4000리터의 생산 능력(케파·capacity)을 확보했다. 5공장(2025년 4월 완공)까지 가동하면 전체 생산 능력은 78만 4000리터로 늘어난다. 현재 삼성바이오로직스는 CDMO 시장에서 1위인 스위스 론자를 비롯해 독일 베링거인겔하임, 중국 우시바이오로직스, 일본 후지필름 등과 경쟁 중이다. 생산 능력만큼은 압도적인 세계 1위다. 현재 3위권인 매출 순위도 머지않아 바뀔 전망이다.

다만, 전반적인 바이오 투자 심리 악화에도 80만 원대를 유지했던 주가는 등락을 반복하고 있다. 경쟁사의 부진한 실적 전망이 영향을 미쳤다는 분석이다. 2023년 7월 론자는 초기 약물 개발 및 세포·유전자 치료 분야에서 프로젝트 진행이 감소했다고 언급했다. 론자의 생산 설비 증설이 성장과 수익성을 보장하지 않을 거란 시장의 평가가 나오는 가운데 CEO의 사임 또한 우려를 키웠다. 우시바이오로직스 역시 프로젝트 감소 등의 이유로 실적 컨센서스(시장 전망치)가 하향 조정됐다. 삼성바이오로직스 역시 상대적으로 높은 밸류에이션에서 거래되고 있기 때문에 앞으로도 꾸준한 실적 성장이 주가 상승을 위한 전제 조건이다.

CDMO 국내 추격자들

보스턴컨설팅그룹(BCG)은 세계 CDMO 시장 규모가 2023년 191억 달러(26조 원)에서 향후 3년간 연평균 12.2퍼센트씩 성장해 2026년 270억 달러(36조 6000억 원) 규모로 성장할 것이라고 전망했다. 신약 개발 트렌드에 맞춰 최근엔 항체 치료제뿐 아니라 세포·유전자 치료제(CGT)로 관심이 옮겨 가는 분위기다.

CGT는 T세포·B세포·NK세포 등을 활용해 우리 몸이 자신을 보호하는 방어 시스템을 강화하는 세포 치료제와 유전자를 제거·편집·절단·삽입하는 방식으로 치료하는 핵산 치료제를 두루 일컫는다. 항체 치료제로 해결할 수 없는 희귀 난치병을 중심으로 개인 맞춤형 치료 시대를 여는 핵심 키워드인 셈이다.

2023년 SK팜테코는 CGT CDMO 미국 CBM을 인수했다. SK팜테코는 SK그룹의 CDMO 자회사다. 당초 SK팜테코는 다국적 제약사인 BMS의 공장을 인수하는 등 합성 의약품 공급망에 관심이 컸는데 최근 움직임을 보면 CGT로 확실히 방향을 틀었다. 2021년 프랑스 CGT CDMO 업체 이포스케시를 인수한 데 이어 미국 CBM까지 사들이며 북미·유럽 시장의 큰손으로 떠올랐다. CBM은 펜실베이니아주 바이오 클러스터에 CGT 단일 생산 규모론 세계 최대 시설(6만 5000제곱미터)을 건설 중이다. 이미 일부 가동을 시작했고, 완공은 2026년이다.

하이브리드 항체 기술인 ADC에 대한 관심도 날로 커지고 있다. 2023년 6월 론자는 1억 6000만 유로(2300억 원)를 투자해 네덜란드 ADC 개발사 시나픽스Synaffix를 인수한다고 발표했다. 미래 CDMO 사업의 중요한 축 중 하나로 ADC를 지목한 것이다. 삼성바이오로직스 역시 ADC CDMO 서비스를 위해 새 공장 건설을 검토 중이다. 코로나19 확산으로 관심이 커진 mRNA 백신 역시 CDMO 시장을 키울 유력 후보다.

1983년 문을 연 삼천리제약으로부터 출발한 에스티팜은 합성 의약품 CDO부터 축적된 오랜 경험이 강점이다. 주력은 올리고 뉴클레오타이드Oligonucleotide CDMO다. 뉴클레오타이드는 핵산 치료제의 원재료다. 핵산 치료제는 DNA나 RNA 단계에서 잘못된 단백질이 생성되지 않도록 하는 게 핵심인데 이 과정에서 뉴클레오타이드가 중추적인 역할을 한다. 자연적인 올리고 뉴클레오타이드는 여러 단점을 가지고 있어서 여러 형태로 변형시켜 핵산 치료제 제조에 활용한다. 코로나19 확산 이후 세계적으로 mRNA와 같은 핵산 치료제 연구가 활발한데 그 덕에 올리고 뉴클레오타이드 매출도 폭발적으로 증가하고 있다.

에스티팜은 일찌감치 이 시장에 뛰어들어 일본 니토덴코, 미국 애질런트에 이어 세계 3위 수준의 생산 능력을 보유하고 있다. 2023년엔 경기도 안산 반월 캠퍼스 부지에서 제2올리고동 기공식을 개최했다. 올리고 CDMO 분야 세계 1위를 향한 첫발이다. 제2올리고동을 완공하고 두 차례 증설을 마치면 생산 규모는 약 14몰(2.3~7톤)까지 늘어난다. 본격적인 가동을 시작하는 2030년 올리고 매출 1조 원 시대를 열겠다는 게 회사의 구상이다.

바이오 산업에서 신약 개발이 꿈이라면, CDMO는 현실이다. 최근 새로운 캐시카우로 CDMO를 꼽고, 도전장을 내민 제약사가 폭발적으로 늘었다. 조금 과장하면 너도나도 CDMO를 외치는 형국인데 CDMO의 성패가 '규모의 경제'에 달렸다는 점을 고려하면 의아한 대목이다. 돈을 벌려고 CDMO를 하겠다는데 정말 투자할 여력은 있는지 궁금하다. 하지만 바이오 의약품의 폭발적인 성장을 고려하면 이런 움직임에 고개가 끄덕여지는 것도 사실이다. 관련 기업의 움직임을 꾸준히 살펴볼 필요가 있다.

레고켐바이오·에이비엘바이오

연초 제과 업체 오리온은 5500억 원을 들여 레고켐바이오 지분 25퍼센트를 확보한다고 밝혔다. 이로써 오리온이 레고켐바이오의 최대 주주가 되었다. 다만, 기존 경영진과 운영 시스템은 그대로 유지한다. 유례를 찾기 힘든 대규모 투자는 레고켐바이오의 기술력에 대한 확신 때문이다. 이어 삼성바이오로직스도 레고켐바이오와 ADC 치료제 개발을 위한 CDO(위탁 개발) 계약을 체결했다. ADC의 핵심인 항체 개발에 참여하는 계획이다. ADC 플랫폼 기술을 보유했거나 관련 개발에 참여하고 있는 기업에 대한 관심이 얼마나 큰지 잘 보여 주는 사례다.

레고켐바이오는 ADC 분야의 국내 최강자다. 2022년 12월 레고켐바이오는 미국 제약사 암젠과 최대 1조 6000억 원 규모의 기술 이전 계약을 체결했다. 암젠이 레고켐바이오가 보유한 ADC 플랫폼 원천 기술을 이전받아 치료제를 개발하는 프로젝트다. 2023년 12월에는 또 다시 존슨앤존슨의 자회사인 얀센과 2.2조 원대 국내 최대 규모의 기술 이전 계약을 체결했다. 계약 금액에는 기술 이용료와 임상 개발·허가, 상업화 마일스톤(단계적 기술료) 등이 포함돼 있다. 실제로 약이 출시되면 별도의 로열티도 받을 수 있다. 암젠과의 계약은 레고켐바이오가 ADC와 관련해 기술을 수출한 10번째 사례인데 그만큼 기술력을 인정받고 있다는 뜻이다.

레고켐바이오가 처음 ADC 플랫폼 기술 이전 계약을 체결했던 2015년 후보 물질 한 개당 가격은 약 1500억 원 수준이었다. 하지만 암젠과의 계약에선 물질 1개당 약 2600억 원 수준이 됐다. 7년간 아홉 개 기술을 이전한 성과와 함께 임상에서 안전성 결과가 확보돼 플랫폼 가치가 높아졌다고 볼 수 있다. 향후 플랫폼 기술 이전 시, 더 높은 금액의 기술 이전 계약을 기대할 만하다. 여러 후보 물질의 전임상 진입 소식도 남아 있다.

레고켐바이오는 항체의 특정 부위에 원하는 수량의 약

물을 결합했다가 암세포에 도달해 효율적으로 약물을 방출하는 전 과정을 조절하는 플랫폼을 보유하고 있다. 톡신 부분의 기술력도 뛰어나다는 평가를 받는다. ADC는 환자의 혈중이나 정상 세포에서는 비활성화 상태를 지속하다가, 암세포의 특정 환경에서 안전핀 역할을 하는 결합 화합물이 분리돼 활성화가 시작된다. 배달 사고와 그에 따른 부작용을 최소화하기 위해 톡신 기술이 꼭 필요하다.

레고켐바이오가 이전한 기술을 활용한 여러 항체 치료제는 이미 상용화에 다가가는 중이다. 2015년 중국 포순제약에 기술을 이전한 LCB14는 현재 중국에서 유방암 임상 3상이 진행 중이다. 상용화에 성공한 '엔허투'처럼 'HER2'를 표적으로 한 치료제다. 한국과 중국을 제외한 나머지 국가의 권리는 영국 익수다에 기술을 이전했는데 최근 호주에서 임상 1상에 착수했다.

작은 바이오테크 입장에서 기술 이전만으로도 큰 성과지만 사실 어느 단계에서 이전하느냐에 따라 결과는 큰 차이가 있다. 유망한 후보 물질이나 기술이라도 임상을 통해 체급을 높이면 훨씬 많은 금액을 받을 수 있다는 뜻이다. 레고켐바이오가 꾸준한 기술 이전으로 실력을 검증하면서도 독자 개발 역시 포기하지 않는 이유다.

2023년 6월 미국 식품의약국은 레고켐바이오의 고형

암(세포로 이루어진 단단한 덩어리 형태의 종양을 총칭) 치료제 LCB84의 1·2상 임상 시험 계획을 승인했다. LCB84는 'TROP2(영양막 세포 표면 항원2)' 단백질을 표적으로 하는 항체 치료제다. ADC 시장의 개화가 'HER2'에서 시작했다면 앞으로는 암세포 표면에서 많이 관찰되는 'TROP2'로 전장이 확대될 전망이다. 레고켐바이오는 곧 미국과 캐나다에서 진행성 고형암 환자 약 300명을 대상으로 효능과 안전성을 테스트할 계획이다. 첫 독자 임상인 만큼 기대가 크다.

관련 시장의 성장세에 탄력이 붙었고, 기술력도 가지고 있으니 꽤 오래전부터 투자자의 관심을 많이 받았다. 현재 주가는 이전 고점의 약 70퍼센트 수준이다. 전반적인 바이오 주가 하락세에 따라 부침을 겪긴 했지만 다른 종목과 비교하면 상대적으로 낙폭이 작았다. 물론 치료제의 구체적인 결과가 나오기까진 시간이 좀 더 필요하다. 새로운 기술 수출 소식이 주가 흐름에 가장 큰 변수가 될 전망이다.

이중 항체 분야도 꾸준한 관심이 필요하다. 보통의 항체 치료제는 하나의 항원에만 결합하지만 이중 항체는 두 개의 항원을 인식해 동시에 결합한다. 단일 항체 대비 치료 효과가 뛰어난 것으로 알려지면서 최근 개발 움직임이 더 활발해졌다. 예를 들어 한쪽 부위로는 T세포와 결합하고, 다른 한쪽은 암세포와 결합해 살상 효과를 극대화하는 식이다. 글로벌 제약사 로슈의 습성 황반변성 치료제 바비스모가 가장 대표적인 성공 사례다.

국내에선 에이비엘바이오가 주목을 받고 있다. 설립한 지 7년, 상장한 지는 5년밖에 안 된 작은 바이오테크지만 짧은 기간 이뤄낸 성과는 충분히 인정받을 만하다. 2022년 글로벌 빅파마 사노피와의 기술 이전 계약이 대표적이다. 파킨슨병 등 퇴행성 뇌 질환 이중 항체 치료제인 'ABL-301'로, 10억 6000만 달러의 계약을 맺었다.

에이비엘바이오의 이중 항체 플랫폼은 '그랩바디Grabody-B'. 여기서 B는 뇌혈관장벽(BBB)을 의미한다. 평소 BBB는 소중한 뇌를 지키는 역할을 하지만, 약물 전달도 차단하기 때문에 질병이 생겼을 때가 문제다. 쉽게 말해 '그랩바디-B'는 표적 단백질과 싸울 항체와 BBB를 뚫을 항체가 같이 있는 형태다. 사노피가 큰돈을 들여 이 기술을 사기로 한 건 ABL301의 BBB 투과율이 단클론항체보다 10배 이상 높았기 때문이다. 더 검증이 필요하지만 중장기적으로 신약 가치가 큰 건 분명하다. 환자 수도 많고, 현재까진 마땅한 치료제도 없기 때문이다.

루닛

가파른 금리 인상과 함께 시작된 바이오 빙하기에도 스타는 탄생했다. 상장도, 자금 조달도 모두 쉽지 않을 것이라 우려했지만 적어도 이 회사엔 불필요한 걱정이었다. 인공지능 진단 솔루션 업체 루닛 이야기다. 2023년 8월 루닛은 대규모 유상 증자를 발표했는데 이후 5거래일 연속 주가가 상승했다. 유상 증자가 쪼들리는 살림살이를 의미하는 보통의 바이오테크와 뭐가 달라도 달랐다는 뜻이다.

루닛은 최악의 상장 환경이라던 지난해 여름 증시에 데뷔했다. 루닛은 상장 전 기술성 평가 때 국내 바이오테크 중 최초로 모든 평가 기관에서 AA등급을 받았다. 데뷔 전부터 잠재력을 인정받은 셈이다. 하지만 시장 분위기가 좋지 않다 보니 제대로 된 몸값을 받지 못했다. 공모가는 희망 범위 하단보다도 32퍼센트나 낮은 주당 3만 원으로 결정됐고, 상장 후에도 전반적인 성장주 외면 기조 속에 오랜 기간 저점 근처에 머물렀다.

하지만 이후 거침없이 질주했다. 시가 총액은 한때 2조 원을 넘어섰고, 코스닥 시가 총액 순위도 20위권 내에 진입했다. 루닛의 가파른 주가 상승은 챗GPT와 엔비디아 등 인공지능 키워드가 주식 시장의 핵심으로 떠오른 영향이 크다. AI 고도화는 의료 기술 발전과도 직결되는데 글로벌 시장 조사 기관 프레시던스 리서치에 따르면 전 세계 의료 AI 시장 규모는 2022년 151억 달러(20조 원)에서 연평균 37퍼센트 성장해

2030년 1880억 달러(250조 원)로 성장할 전망이다.

현 단계에서 AI 활용도가 가장 높은 건 진단이다. 방대한 데이터를 빠르고 정확하게 분석해 잠재적인 질병 징후를 탐지해 낸다. 특히 AI 기반 영상 진단은 사람의 눈으로 식별하기 힘든 미세한 변화와 패턴을 감지해 진단의 정확성과 효율성을 높이는 핵심 기술이다.

루닛의 주력 제품은 X-ray 영상 분석 솔루션 '루닛 인사이트'와 AI 기반 면역 형질 분석 솔루션 '루닛 스코프'다. 루닛 인사이트는 흉부의 비정상 소견을 발견해 전문의가 판독의 정확도를 높일 수 있도록 하는 보조 도구다. X-ray 단계에서 놓친 폐암이나 유방암을 조기에 진단해 환자의 생존율을 높이고, 불필요한 검사도 줄일 수 있다. 루닛 스코프는 AI 기술을 활용해 수집한 디지털 바이오마커를 통해 면역 항암제 효과를 예측하고, 치료 대상 환자를 선별하는 솔루션이다.

면역 항암제는 약값이 매우 비싸지만, 치료 효과는 사람마다 다르기 때문에 예측 정확도를 높이는 게 중요하다. 지금은 면역 항암제에만 활용하는 단계지만, 바이오마커 고도화에 따라 암 치료의 새로운 화두로 떠오르고 있는 ADC에도 적용할 수 있다.

루닛 인사이트는 의료 영상 장비 선두권 기업인 GE·필립스·후지필름 등에 판매됐다. 전 세계 3000개 이상의 의료 기관이 루닛 인사이트를 도입했다. 루닛 스코프 역시 다양한 임상 기관과 협업을 진행하고 있어 성장 가치가 크다. 기존 사업이 기대만큼 커준다면 신약 개발에도 본격적으로 도전할 수 있다. 최근엔 솔루션 판매에 그치지 않고, 환자의 의료 데이터를 통합 관리하는 AI 플랫폼 사업에 진출하겠다는 전략도 내놨다. 전 세계 병원과 임상 기관 등에서 수집한 암 진단 및 치료 데이터를 AI 학습 모델을 통해 분석하고, 이를 환자별 맞춤형 정밀 치료로 연결한다는 구상이다.

루닛의 체급을 키운 구체적인 사건도 있었다. 2023년 6월 미국의 '캔서문샷' 프로젝트에 참여한다는 소식이 전해진 것이다. 연간 18억 달러(2조 4000억 원)를 투입해 암 예방과 조기 검진, 항암제 개발, 치료 시스템 최적화 등 암의 시작과 끝 전 영역에 대한 연구 개발을 지원한다.

캔서문샷은 미국 암 연구소인 모핏 암센터와 디지털의학학회를 주축으로 민간 기업과 공공 기관이 참여하는 '캔서엑스Cancer X'라는 협의체가 주도한다. 창립 멤버로 참여하는 92곳의 명단을 발표했는데 국내 기업 중엔 유일하게 루닛이 포함됐다. 이후 프레스티지바이오파마·젠큐릭스·큐브바이오 등이 추가로 캔서엑스에 이름을 올렸다.

캔서문샷 프로젝트에 참여하는 국내 기업은 거의 진단 분야에 집중돼 있다. 코로나19를 계기로 실력을 알린 국내 진단 기술이 캔서문샷이란 대형 프로젝트를 앞두고 다시 존재감을 드러낸 셈이다. 실제로 문샷이라는 이름에 걸맞게 암 사망률을 획기적으로 줄이려면 진단 분야의 혁신이 필수적이다. 암 진단은 환자가 암에 걸렸는지 판단하는 진단, 어떤 치료제를 사용해야 좋을지 판단하는 진단, 예후는 어떨지에 대한 예측, 치료 후 재발 우려 확인 등을 포함한다.

같은 암이라도 환자마다 암세포가 활동하는 환경이 다르다. 널리 알려진 치료제라도 암세포가 반응하지 않거나 부작용이 나타나는 환자가 적지 않은 이유다. 캔서문샷이 목표로 하는 획기적인 암 사망률 감소가 나타나려면 개인별 암 환경을 고려한 정밀한 진단과 그에 맞는 치료제 개발이 이뤄져야 한다.

정확한 진단을 위한 핵심 기반은 유전자 분석 기술이다. 암 관련 유전자 변이를 분석하는 기술은 진단 분야의 패러다임을 바꿔놓았다고 해도 과언이 아니다. 2010년대 이후 유전자 서열을 빨리, 저렴한 비용으로 분석할 수 있는 '차세대 염기 서열 분석법(Next Generation Sequencing·NGS)'이 개발됐다. NGS는 인간 유전체의 염기 서열을 분석해 진단에 필요한 유전 정보를 얻는 기술이다. 개인별 암 치료를 가능하게 하는 기초다.

또 다른 분자 진단 방법은 코로나19 확산기에 이름을

알린 '중합 효소 연쇄 반응(Polymerase Chain Reaction · PCR)'이다. PCR은 간단히 말해 표적 하는 DNA를 증폭해 검출하는 검사법이다. 짧은 시간 내에 원하는 유전 물질을 기하급수적으로 증폭한 뒤 분석한다. 2010년대 이후 형광 기술이 빠르게 발전하면서 분석 비용과 시간이 획기적으로 줄었다.

암은 다양한 원인에 의해 유전자 변이가 축적된 세포가 비정상적으로 증식해 인체의 기능을 망가뜨리는 병이다. 어떤 유전자 변이를 갖는 암인지를 정확히 분석해야 그에 맞는 치료 방법을 결정할 수 있다.

분자 진난을 위헌 유전체 확보 방법에는 조직 생검법과 액체 생검법이 있다. 조직 생검법은 환자의 조직 일부를 확보한 뒤 암의 존재나 확산 양상을 파악히는 검사다. 직접 조직을 떼어내기 때문에 일단 환자의 고통이 따른다. 분석 기간도 대략 4~6주 정도로 긴 편이고, 비용도 비싸다. 암의 조직학적 정보를 정확하게 알 수 있는 건 장점이다.

액체 생검은 혈액이나 타액 등에 존재하는 암세포 혹은 암세포 유래의 다양한 물질을 분석해 환자의 유전적 변이를 분석하는 기법이다. 주로 조기 진단과 보조적 진단 방법으로 이용한다. 반복 검사를 할 수 있어 예후 예측과 재발 진단이 가능하고, 시간 경과에 따른 암의 변화를 추적할 수 있어 활용 가치가 높다. 진단 결과를 10일 정도면 받아볼 수 있는 것도 강점이다.

액체 생검의 분석 대상으로는 혈액 내 세포 유리 DNA(cfDNA·cell-free DNA) 중 암 조직에서 유래한 순환 종양 DNA(ctDNA0circulating tumor DNA)가 있다. 쉽게 말해 ctDNA는 암 DNA의 파편인데 이를 통해 진행성 또는 전이성 암을 진단할 수 있다. ctDNA 검사는 암 조기 진단뿐만 아니라 치료를 받은 암 환자의 예후를 예측하는 데도 이용된다. 최근 국내 한 대학 병원 연구팀은 ctDNA 검사가 항암 치료를 받은 간암 환자의 치료 반응을 예측하는 바이오마커가 될 수 있다는 걸 증명했다. 정확한 예후 예측은 일단 환자에게 가장 알맞은 치료법을 제공할 수 있고, 과잉 치료를 줄이는 효과도 있다.

ctDNA는 재발 예측 분야에서도 적극적으로 활용 중이다. 최근 연구에 따르면 ctDNA 제거가 미흡할 경우 전이성 재발이 빨라지는 것으로 나타났다. 최근 암 치료에서 특히 관심이 큰 분야는 미세 잔존암 검사다. 암 치료 후 체내에 암세포가 남아있는지, 추가적인 화학 요법이 필요한지에 대한 답을 구하는데 액체 생검이 큰 역할을 한다는 의미다.

ctDNA 검사가 암으로부터 떨어져 나온 DNA 파편을 분석하는 검사라면, 순환 종양 세포(CTC·circulating tumor cell) 검사로는 암에 대한 더욱 통합된 정보를 습득할 수 있다. 원발

암으로부터 유리된 CTC는 혈관으로 침투해 다른 장기로 전이될 수 있다. 많은 암 환자가 다른 장기로의 전이로 인해 고생하는데 CTC는 암 전이와 밀접히 연관돼 있어 이용 가치가 높다. CTC 연구가 폭넓게 진행 중이지만 높은 활용도에도, 혈액 내에 드물게 존재하는 CTC를 분리하는 기술은 여전히 업계의 큰 허들이다.

현재 컴퓨터 단층 촬영(CT), 자기 공명 영상, 양전자 단층 촬영(PET-CT) 등 영상 검사로는 일정 크기 이상의 암 종양만을 진단할 수 있다. 영상 진단 기술이 발전하면 더 작은 종양도 검출할 수 있겠지만, 현재로서는 조기 발견에 한계가 있다. ctDNA나 CTC 같은 액체 생검이 암의 조기 발견과 치료 반응 분석, 재발과 예후 예측 측면에서 중요한 이유다.

암 치료제에 대한 환자의 반응률을 확인하는 동반 진단도 중요한 키워드다. 동반 진단이란 특정 약물이 환자에게 효과가 있을지 미리 알아보는 진단법이다. 약물에 치료 효과를 보일 것으로 예상하는 환자를 선별할 수 있으면 천문학적인 비용과 시간이 소요되는 신약 개발의 성공률을 높일 수 있다.

면역 항암제 키트루다는 바이오마커 PD-L1(암세포 표면에 발현된 단백질)의 발현율을 50퍼센트 이상으로 설정하고 있다. 동반 진단 기기를 이용해 유전자를 분석하고, 환자별 바이오마커 발현 여부를 확인한 뒤 임상 성공률을 높이는 것이다. 현재 PD-L1, EGFR 등 다양한 바이오마커를 타깃하는 동반 진단 기기가 출시돼 있다. 약물에 반응할 환자만을 선별해 치료함으로써 불필요한 치료를 방지하고, 고가의 표적 치료제 사용에 따른 환자의 부담도 덜 수 있다.

동반 진단과 더불어 새롭게 성장하는 분야가 디지털 병리 검사다. 디지털 병리는 디지털 스캐너로 병리학적 이미지를 고배율로 스캔한 뒤 그 이미지를 진단에 사용하는 것을 말한다. AI 기술에 기반을 둔 병리 진단 기술의 혁신은 전문의 수가 감소하는 구조적 문제를 해결하고, 진단 업무 효율을 높일 수 있는 대안으로 기대를 모으고 있다.

젠큐릭스는 동반 진단 기술로 잘 알려진 바이오테크다. 드롭플렉스Droplex라는 자체 동반 진단 키트를 개발해 국내 대형 병원 등에 공급하고 있다. 환자의 혈액 및 조직에서 추출한 유전자를 분석해 돌연변이를 검출하는데 이를 통해 특정 치료제에 효과를 보이는 환자를 선별한다. 이 분야 1위인 빅파마 로슈의 제품보다 돌연변이 검출 능력이 더 뛰어나다는 평가를 받는다. 현재 국내에서 허가를 받은 동반진단 제품은 폐암 2종, 갑상선암 1종, 대장암 1종이다.

유방암 예후 진단 키트도 올해부터 본격적인 판매를 시작했다. 예후 진단은 암 수술 후 10년 이내 다른 장기로 전이되거나 재발할 우려가 어느 정도인지 파악하는 기술이다. 글로벌 1위 제품(온코타입DX)이 있지만, 인종별 · 연령별 차이가 커서 정확도가 떨어지는 점을 파고들었다. 혈액으로 대장암을 조기 진단하는 기기도 개발 중이다.

AI 기술을 활용해 흉부 CT, 손 X-ray, 안저 영상 등에서 비정상적인 부분을 찾아내는 판독 기술을 보유한 뷰노, CTC 플랫폼을 보유한 싸이토젠, 액체생검 전문 바이오테크 EDGC, 암 조기진단 키트를 개발 중인 큐브바이오 등도 관심을 가져볼 만한 기업이다.

큐로셀·파미셀·고바이오랩

'CAR-T(키메릭 항원 수용체 T세포)'는 현재 면역 세포 치료제 연구 중 가장 성과가 뚜렷한 분야다. 면역 세포 T세포에 'CAR'라는 새로운 수용체를 장착한 개념으로,'CAR-T' 치료제 중 최초로 미국 식품의약국의 승인을 따낸 킴리아의 성공으로 주목받고 있다.

해외에선 CAR-T 상용화 사례가 많지만 한국은 관련 연구가 빠르다고 보긴 어렵다. 국내 바이오테크 중에는 큐로셀이 선두 주자다. 림프종 및 백혈병 CAR-T 치료제 안발셀 CRC01로 임상에 진입했다. CAR-T 치료제로는 국내 최초다. 임상2상 중간 결과에 따르면 완전 관해율이 71퍼센트, 객관적 반응률(ORR) 84퍼센트로 효능을 입증했다. 올해 식품의약품안전처에 신약 허가를 신청할 계획이다.

CAR-T 치료제는 이미 상업성이 입증된 시장이다. 단순히 치료 효과가 좋은 것만으로는 기존 치료제의 아성을 뛰어넘기 힘들다. 비용이나 제작 기간 등 다양한 측면에서 전보다 나은 장점이 있어야 한다는 뜻이다. 예컨대 중국 제약사 그라셀의 CAR-T 치료제는 'CD19'와 'BCMA'를 동시에 타깃하면서도 생산 기간을 하루로 줄일 수 있다고 밝혀 큰 관심을 받았다. CAR-T 생산 기간은 보통 2주 이상이다.

큐로셀은 경쟁사 기준 44일이던 기간을 16일로 단축시켰다. 국내 최대 규모의 CAR-T 의약품 제조 시설(GMP)을 보유해 연간 700명의 환자에게 치료제를 공급할 능력을 갖췄다는 점도 매력이다. 2022년 기술성 평가에서 탈락했던 큐로셀은 재도전에 나서 2023년 11월 코스닥 입성에 성공했다. 상장 전 공모가 거품 논란이 있었지만 상장 이후 꾸준히 주가가 상승하는 모습이다.

앱클론도 최근 림프종 CAR-T 치료제 AT101의 국내 1상을 마쳤다. 환자 12명을 상대로 진행한 1상 결과 완전 관해율 66.7퍼센트, 객관적 반응률 91.7퍼센트 등으로 치료 효과를 확인했다. 안전성 등의 다른 변수 분석도 무난히 통과했다. 기술 수출 기대감이 피어나지만, 아직 구체적인 소식은 없다.

줄기세포 관련 기업도 장기적인 안목으로 살펴볼 필요

가 있다. 줄기세포 치료제는 활용 범위가 넓다. 문제가 생긴 세포를 대체한다는 아이디어 자체가 매력적이다. 전 세계적으로 항암제나 난치성 질환 치료제로 개발하려는 움직임이 활발하다. 국내 바이오테크는 대부분은 중간엽 줄기세포 연구에 집중하고 있다. 중간엽 줄기세포는 다양한 결합 조직으로 분화하는 능력이 있으면서도 염증을 억제하고, 빠르게 조직을 재생하는 특징이 있다.

파미셀은 세계 최초로 줄기세포 치료제를 상용화한 곳이다. 2011년 한국 식품의약품안전처의 품목 허가를 받은 하티셀그램-AMI이다. 지방이나 근육 등 다양한 세포로 분화하는 중간엽 줄기세포를 활용해 만든 급성 심근경색 치료제다. 환자의 골수에서 채취한 줄기세포로 제조해 관상동맥 내에 투여하는 방식이다. 심장에 도달해 손상된 세포를 재생하고, 심장 기능을 개선하는 효과가 있다.

첫 치료제라는 점은 높이 평가할 만하나 큰 성공을 거뒀다고 보긴 힘들다. 치료제란 건 어쨌든 잘 팔려야 한다. 그러나 환자 수도 적고 치료비도 건당 2000만 원에 달하기 때문에 치료 실적이 많지 않다. 실제로 하티셀그램의 매출은 파미셀 전체 매출의 1퍼센트 정도에 그친다.

그래도 성공 경험이 있다는 건 중요하다. 개발이 가장 앞선 건 알코올성 간경변 치료제 셀그램-LC이다. 간이 오랫

동안 손상을 받으면 간세포가 다시 살아나지 않고, 딱딱해지는 섬유화가 발생한다. 간경변이 한번 시작되면 정상 간세포의 활동도 위축되기 때문에 치료를 받지 않으면 위험해진다. 셀그램은 골수에서 채취한 중간엽 줄기세포를 배양한 뒤 다시 간에 주입하는 방식이다. 현재 국내에서 임상 3상을 진행중이다. 하티셀그램과 비교하면 환자 숫자부터 월등히 많다. 효과를 최종적으로 확인하고, 시판되면 흥행을 기대할 만하다.

국내 줄기세포 연구의 터줏대감이라 할 수 있는 차바이오텍은 제대혈 중간엽 줄기세포를 활용한 만성 요통 치료제 코드스템-DD으로 기회를 찾고 모색하고 있다. 소위 디스크라 불리는 추간판 탈출증으로 인한 요통은 워낙 환자가 많지만 수술이 아니면 신경 차단술이나 물리 치료 정도로 호전을 기대할 수밖에 없다. 줄기세포의 분화 능력을 이용해 연골 재생 능력을 높이는 코드스템-DD가 효과를 확인한다면 수술 이외의 새로운 치료법으로 인정받을 가능성이 있다.

줄기세포만큼 장기전이라 할 만한 마이크로바이옴 분야에선 고바이오랩을 주목할 만하다. 고바이오랩은 8000종 이상의 균주 라이브러리를 보유한 국내의 대표적인 마이크로바이옴 바이오테크다. 각종 대사 질환과 암, 자폐 스펙트럼 장애 등 파이프라인도 다양하다.

가장 앞선 건 면역 피부 질환 치료제로 개발 중인 KBLP-001이다. 전임상 단계에서 아토피 피부염 및 건선 치료에 효과가 있다는 걸 입증했다. 현재 글로벌 임상 2상 투약을 진행했다. KBLP-001은 2021년 중국 상하이의약그룹의 자회사인 신이(SPH)에 기술 수출해 계약금을 받았다.

최근엔 악재가 많았다. 2020년 한국콜마홀딩스에 기술을 이전했던 후보 물질이 2023년 7월 반환됐고, 한국과 호주에서 환자를 모집했던 염증성 장 질환 치료제 KBLP-007은 임상 2상이 중단됐다. 이런 여파로 최근 주가는 최근 1만 원 밑으로 떨어져 부진을 겪고 있다.

2020년 주식 시장에 데뷔한 지놈앤컴퍼니는 고형암 치료 물질 GEN-001로 시장을 개척하고 있다. 암 환자의 면역력을 높여 항암 치료 효과를 높이는 방식이다. 현재 한국에서 위암 및 담도암 환자를 대상으로 임상 2상을 진행 중이다. 각각 면역 치료제(위암은 바벤시오, 담도암은 키트루다)와의 병용요법이다. 위암의 경우 빠르면 2024년 초 중간 결과를 발표할 예정이다.

더 큰 기대를 거는 건 자폐 스펙트럼 장애 치료 후보 물질 SB-121이다. SB-121은 건강한 산모의 모유에 있는 락토바실러스 루테리Lactobacillus reuteri 균주로 만드는데 자폐 치료에서 중요한 역할을 하는 옥시토신 분비를 활성화하는 것으로 알려졌다. 현재 자폐 환자에게 나타나는 증상을 억제하는 약은 있지만, 자폐를 근본적으로 치료하는 약은 없다. 성공만 한다면 엄청난 보상이 뒤따른다. 임상 1상에서 인지 능력의 향상과 안전성을 확인했다며 자신감을 보이고 있지만 성공 여부는 좀 더 지켜봐야 한다.

에필로그 2024년 이후가 달라질 이유

2023년 바이오 주가 흐름은 좋지 않았다. 국내를 대표하는 바이오 종목으로 구성된 KRX 바이오 TOP10 지수는 2023년 대부분의 기간을 연초 출발점을 밑돌았다. 비중이 가장 큰 삼성바이오로직스 주가는 90만 원대에서 70만 원 초반까지 밀리기도 했다. 글로벌 제약·바이오 시장의 중심인 미국의 상황도 크게 다르지 않았다. 미국의 대표적인 바이오 상장 지수펀드(ETF)인 헬스 케어 셀렉트섹터 SPDR(XLV)은 S&P500과 나스닥이 한 해 동안 20~30퍼센트씩 급등하는 가운데서도 마이너스 수익률을 기록했다.

사실 2023년 초반까지만 해도 바이오 주가는 상승 전망에 무게가 실렸다. 가파른 금리 인상이 끝나면 반등 기회를 잡을 수 있다는 이유였다. 그러나 그 예측부터 틀렸다. 탄탄한 고용과 성장 앞에 미국의 '피벗(pivot·통화 정책 전환)'은 뒤로 한참 밀렸다. 미국은 제조업을 중심으로 투자가 늘고, 소비 역시 탄탄한 모습을 보이며 놀라운 경제 성장률을 기록했다. 미국 경제의 고공 행진에 글로벌 시장 금리의 '벤치마크'인 10년 만기 미국 국채 금리는 5퍼센트에 다다랐다.

"신기술 개발을 위해서는 돈과 시간이 필요한데 돈이 풍족하면 시간도 당길 수 있다."

제약·바이오 시장에서 격언처럼 전해지는 말이다. 유동성이 풍부할 때 자신감을 나타내는 표현이기도 하다. 하지만 미국이 금리 인상 가속 페달을 밟기 시작한 2022년부터 분위기가 완전히 달라졌다. 고금리가 지속하고, 돈줄이 마르면 아무리 유망한 산업도 탄력을 얻기 힘들다. 특히 바이오 산업에 금리는 혁신의 속도를 결정짓는 변속기와 같다.

'바이오의 꽃'이라는 신약 개발 과정은 그만큼 험난하다. 통상 1만 개의 파이프라인이 있으면 그중 80개 정도만 임상 단계에 진입한다. 그리고 그중 10분의 1만이 신약 승인의 전 단계인 3상에 진입한다. 도전을 거듭해 여기까지 도달해도 문제다. 임상 3상에선 수백·수천 명의 다국가·다기관 환자를 상대로 약물의 안전성과 유효성을 검증해야 한다. 약물마다 차이가 있지만 수천억 원을 투입하는 일이 허다하다. 중소형 바이오테크는 엄두도 못 낼 일이고, 빅파마에도 부담스러운 일이다.

금융 환경이 나아질 것이라며 기다리자고 했지만 바이오테크의 체력은 그걸 감당할 정도가 안 됐다. 2023년엔 자금 사정이 한계에 다다르면서 최후 수단인 주주 배정 유상 증자로 돌파구를 마련하려는 중소형 바이오테크가 유난히 많았다. 국내에서만 한 달에 2~3건 정도의 유상 증자 발표가 쏟아졌는데 주주에게 힘든 결단을 요구할 만큼 쪼들렸다는 얘기다.

하지만 이제 끝이 보인다. 미국 연방준비제도가 기준

금리 인하 논의를 시작했기 때문이다. 긴축 종료 신호탄이다. 2023년 마지막 연방공개시장위원회(FOMC)가 내놓은 2024년 최종 기준 금리 중간값은 연 4.6퍼센트였다. 9월 발표치(연 5.1퍼센트)와 비교하면 0.5퍼센트포인트나 낮아졌다.

2023년이 금리 인하 기대감을 붙들고 버틴 기간이라면 2024년엔 금리 인하와 함께 실제 채권 등에 쏠렸던 자금이 증시로 이동하는 모습이 나타날 가능성이 있다. 글로벌 증시의 '상저하고' 전망이 많은 건 금리 인하 움직임이 하반기로 갈수록 구체화할 것이기 때문이다. 바이오를 비롯한 성장주의 전반적인 회복을 충분히 예상할 수 있는 시점이다. 실제로 2023년 연말에 그런 흐름이 이미 나타났다.

하지만 산업의 성장을 금리에만 기댈 수는 없다. 각국이 금리를 인하하더라도 이전 같은 초저금리로 돌아갈 수 있는 상황은 아니다. 오히려 여러 여건은 고금리의 장기화를 가리키고 있다. 과거 대비 상대적으로 높은 수준의 금리가 이어진다면 바이오 투자자의 투자 기준도 바뀌어야 한다. 너도나도 잘 될 리는 없으니 더 까다롭게 선별해야 한다는 뜻이다.

위기와 기회는 종이 한 장 차이다. 고금리는 모두에게 고통스러운 일이지만 차별화와 효율화를 통해 또 다른 성장을 기회를 찾아내는 바이오테크도 많다. 당장은 핵심 파이프라인 위주로 효율에 무게를 두겠지만 좋은 기업일수록 위기

뒤에 새로운 성장의 꽃이 핀다는 것을 안다. 비만 치료제 열풍을 복기해보면 알겠지만 중요한 건 트렌드를 읽는 눈이다. 그게 곧 투자 기회다. 이 책을 통해 독자들이 작은 힌트라도 얻는다면 더할 나위 없이 기쁜 일이다.

이 책은 중앙일보 프리미엄 유료 컨텐츠 '더중앙플러스'에 2023년 9월부터 11월까지 'K-바이오지도 by 머니랩'이란 이름으로 연재한 내용을 엮은 것이다. 책으로도 펴낼 수 있었던 건 연재 기간 동안 많은 독자의 사랑을 받은 덕이다. 좋은 기회를 준 중앙일보와 어려운 여정을 함께 해준 장원석 기자에게 감사의 말씀을 전한다.

이해진

북저널리즘 인사이드 삶을 재정의하는 산업

1997년 개봉과 함께 논쟁을 불러일으켰던 영화, 〈가타카〉에는 인간 게놈 프로젝트(Human Genome Project)를 향한 당시의 의심 어린 시선이 녹아 있다. 인간 DNA에 있는 30억 개의 염기쌍을 모두 읽어 유전자 지도를 그리는 장대한 프로젝트는 1990년 시작됐고, 완벽한 완성을 본 것은 2023년이다.

유전자를 원하는 대로 취사선택해 아이를 낳을 수 있는 세상, 태어나는 순간 유전 인자에 근거해 계급과 한계를 단정 짓는 사회. 영화 〈가타카〉가 그리는 생명 공학의 디스토피아다. 그러나 인간 생명의 설계도를 모두 읽어 낸 지금까지 영화 속 부조리는 발생하지 않았다. 물론, 과학은 우리의 삶을 바꿨다.

개인의 잘못이나 불운의 결과로 여겨졌던 치명적인 질병들이 하나둘 치료 가능해졌다. 사회적 불평등의 상징이었던 비만은 이제 치료 가능한 '질병'이다. 환자는 물론 환자 가족의 미래를 앗아가는 치매 또한 게임 체인저의 등장으로 새로운 국면을 앞두고 있다.

뿐만 아니라 이제 인류는 유전자를 '읽는' 존재를 넘어 '편집하는' 존재로 진화했다. "신의 영역에 도전하겠다"라며 생성형 AI를 이용해 생명 공학의 패러다임을 바꾸겠노라고 선언한 엔비디아의 젠슨 황 CEO의 야심도 만만치 않다. 기술이 달리고 있다. 미래가 가까워진다.

"Never saved anything." 영화 〈가타카〉의 주인공, 빈센트는 결함을 가진 유전자를 극복하고 원하는 것을 손에 넣기 위해 모든 것을 건다. 그 무엇도 아껴 두지 않았다. 멋진 성공 스토리다. 하지만 그 누구도 영원히 전력 질주할 수는 없다. 극복해야 할 몸으로부터 한 걸음씩, 인류는 해방을 향해 나아가고 있다.

바이오 산업의 잠재력은 수익률만으로는 평가할 수 없다. 섹터의 눈부신 성장은 인간의 삶을 재정의한다. 노화와 질병은 더 이상 '신의 뜻'이 아니다. '생애 주기'의 의미가 퇴색한다. 나이 들면 누군가의 돌봄에 기대고 병들면 많은 것을 포기해야 했던 시대가 끝난다. 개인이 자신의 삶을 주도적으로 살아갈 수 있는 기반이 생긴다. 이 세계를 움직이는 원리가 바뀐다. 지금, 바이오 지형도가 어떻게 변화하고 있는지 알아야 하는 이유다.

그 기민한 변화를 만들고 있는 최첨단 기술과 특수한 산업적 구조를 두 저자는 세심하게 풀어낸다. 이해진 임플바이오리서치 대표의 전문성과 장원석 중앙일보 기자의 해석력이 돋보이는《2030 바이오 지도》에서 독자 여러분도 인류의 새로운 목적지를 확인할 수 있을 것이다.

신아람 에디터